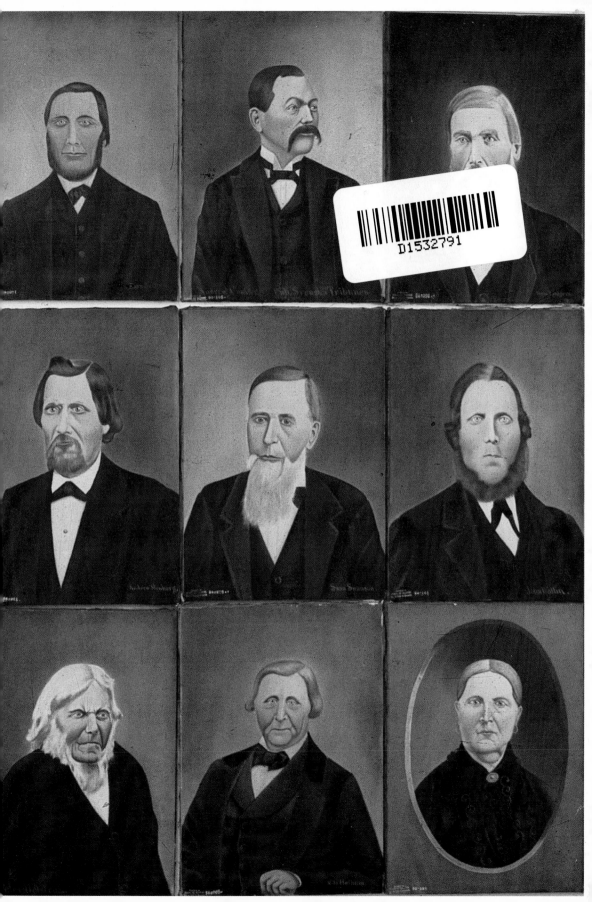

HISTORIEN OM
Bishop Hill

LTs förlag · Stockholm

HISTORIEN OM *Bishop*

Hill

OLOV ISAKSSON

under medverkan av Britt Isaksson
och Folke Isaksson
Foto Sören Hallgren

Utgiven med stöd av
Kommittén "Utvandrare och invandrare i Sveriges historia 1846–1996"

LTs förlag är en rörelsegren inom Natur och Kultur-gruppen

Omslagsbild: Skörden, oljemålning av Olof Krans (s 130)
Titelsidan: Bishop Hill 1855. Ridå. Oljemålning av Olof Krans, 1895 (s 147)
Ovan: Tornbyggningen och kolonins två verkstäder där vagnar tillverkades. Foto från
sekelskiftet
Översättning av sammanfattning till engelska Albert Read och Michelle Mope Andersson
Formgivning Per E Lindgren
© Olov Isaksson, Britt Isaksson, Folke Isaksson och Sören Hallgren 1995
Tryck och bind Kristianstads Boktryckeri AB, Kristianstad 1995
ISBN 91-36-03260-3

Innehåll

Förord

Boken "Bishop Hill – svensk koloni på prärien" utgavs 1969 på LTs förlag till den utställning med samma namn som detta år visades på Statens historiska museum. Sedan dess har intresset för Bishop Hill ökat i både Sverige och USA. Insamlingar har gjorts och bidrag från fonder lämnats till restaureringar för att bevara Bishop Hill, det värdefullaste svenska kulturminnet utanför vårt lands gränser. Det är ett arbete som intensifieras inför 1996, då 150-årsminnet av Bishop Hills grundande uppmärksammas i Sverige och USA. Var och en som köper boken *Historien om Bishop Hill* bidrar till att rädda denna unika plats.

Med erikjansarnas emigration 1846 inleddes den svenska massutvandringen till Förenta Staterna. Ingen enskild svensk fick så stor betydelse för denna som Erik Jansson, född i Biskopskulla, Uppland 1808 och mördad 1850 nära sin skapelse Bishop Hill, Illinois.

Historien om Bishop Hill är en helt ny bok, en fördjupning i den svenska emigrationshistoriens märkligaste inslag. Bildmaterialet är förnyat och huvudtexten utbyggd liksom avsnittet om de många andra utopiska samhällen liknande Bishop Hill som vid 1800-talets mitt existerade i Nordamerika. I ett särskilt kapitel ges nu för första gången en inträngande skildring i ord och bild av Olof Krans och hans konstnärskap. I dag räknas Krans som en av USAs intressantaste naiva målare.

Med 1969 års bok inledde Sören Hallgren och jag ett samarbete som sedan dess främst kretsat kring den nordatlantiska övärlden. Det har varit stimulerade att tillsammans få återvända till Bishop Hill och i samarbete också med ett par av dem som står mig närmast forma *Historien om Bishop Hill*.

Olov Isaksson

"Vägen (till Bishop Hill) går till det mesta öfver skoglösa, än jemna, än vågformiga
prairier. Det är här icke ovanligt att fara vilse på prairierna hvarföre främlingen rätteli-
gen borde såsom på hafvet leda sig fram efter kompass. Man föreställer sig en ändlös
sträcka af odlade fasta gräsvallar, glittrande af den rikaste mångfald vackra blommor,
hvilka oftast för ögat begränsas endast af horisonten." (Anders Wiberg, Aftonbladet
8 september 1853)

En plats i mitt hjärta

"Platsen kalla de för Bishop Hill, den allra vackraste plats man någonsin kan tänka sig. Där ha de byggt omkring 30 jordkulor som för ändamålet är ganska bekväma. De skall nu i dessa dagar börja bygga sin nya stad Bishop Hill. Under den tid jag var där, var det lantmätare där, som utmätte och reglerade platsen till själva staden, vilken skall byggas i en fyrkant med 18 hus på vardera sidan, utvändigt och innantill trädgårdar och planteringsland samt en stor kyrka. Alla dessa hus skall till alla möjliga dimensioner bliva alldeles lika. Alla husen skall byggas av en sorts obränd tegel och utantill rappas och vitstrykas." Skildringen återfinns i ett brev skrivet i juli 1847 av en i Chicago bosatt svensk.[1]

Till Chicago kom jag första gången 1966. Efter några dagar i staden tar jag tåget till Galva för att besöka Bishop Hill. Genom panoramafönstren kan jag blicka ut över den böljande, vidsträckta prärien. 120 år tidigare hade erikjansarna, den första större svenska utvandrargruppen, dragit fram här mot sina drömmars mål. Hur mödosam måste inte vandringen västerut har varit genom det höga, sträva präriegräset under Illinois brännande sol! Ångrade kanske några i den uttröttade skaran att de hade följt sin profet, bondepredikanten Erik Jansson från Biskopskulla i Uppland, över havet mot det Nya Jerusalem som han utlovat dem? Kände de redan nu en längtan tillbaka till hemlandets åkrar och ängar, skogar och berg och efter alla de nära och kära som övergivits? Var fann utvandrarna mat och dryck i detta öppna, glesbebyggda landskap?

Nu, i mitten på 60-talet, är prärien uppodlad och till och med det kraftiga präriegräset hittar man bara i naturreservaten. Med jämna mellanrum lyser farmarnas vitmålade byggnader upp den brunröda jorden, med dess klungor av egenartade små svinhus. Över slätten höjer sig bara sädessilorna i väntan på höstens skördar av majs. Jag fylls av förväntan, när jag färdas genom detta landskap, ett av de bördigaste i Nordamerika.

På perrongen i Galva, erikjansarnas handelsplats, tas jag emot av Merill Nystroem. Han är ordförande i Bishop Hill Heritage Association, den hembygdsförening som bildats fyra år tidigare för att bevara Bishop Hills unika miljö. Innan vi fortsätter till hans gård någon mil längre bort, visar Merill mig Galva. Den lilla staden liknar de flesta andra samhällen i Mellanvästern med slitna tegelhus i centrum kring ett ödsligt torg och prydliga trävillor i stadens utkanter. Några av de byggnader som erikjansarna uppförde här på 1850-talet finns fortfarande kvar, får jag veta, och även det hus där den naive målaren Olof Krans en tid hade sin ateljé. Järnvägsspåren skär brutalt genom staden, de kilometerlånga godstågen dundrar fram med gälla, utdragna signaler.

9

Mot kvällningen far vi till Bishop Hill. Jag stiger av strax utanför samhället och vandrar långsamt in mot platsen under lövträdens kronor. I gatlampornas tunna ljus möts jag av Tornbyggningens vita kolonner och tegelhusens slutna fasader. Doften av nyslaget gräs slår emot mig från parken. Hotellets mäktiga dimensioner överraskar mig liksom kolonikyrkans utseende, utan likhet med några svenska bönhus eller kapell. Från Edwards River hörs grodornas kväkande i den fuktvarma och förunderligt tysta kvällen. Ingen människa syns till. Det är som om själva staden har fallit i sömn. Intuitivt känner jag att en viktig uppgift väntar mig här.

Sedan den dagen har jag burit Bishop Hill i mitt hjärta och många gånger återvänt hit.

Våren 1968 flög fotografen Sören Hallgren och jag till USA. Från New York följde vi erikjansarnas färdväg längs Hudson River och Eire Canal till Buffalo samt vidare till Chicago och Bishop Hill. Ibland stannade vi till vid kanalen där många tidiga utvandrare hade färdats i båt.

"Det var mycket trångt på den, ingenting att sitta på, vi fingo stå", berättar Eric Aline som hösten 1846 färdades här. "De av oss som orkade gå till fots, gingo med båten längs kanalen. Vi voro på kanalresa många dagar, och hade det hårt. Vi fingo endast en brödskiva somliga dagar. Vi plockade några äpplen och cornax (majs) och åto på dem under resan. När vi kommo till någon liten plats så köpte vi allt det bröd de hade, men vad förslog det för så många?"[2]

I Bishop Hill arbetade Hallgren och jag en dryg månad med att samla in material till utställningen på Statens historiska museum och en bok. Vi mötte många ättlingar till Bishop Hills första bebyggare. Systrarna Alfhild Oberg och Alfva Borg talade gärna med oss på sitt hälsingemål, trots att varken de själva eller deras föräldrar någonsin hade besökt Sverige. Att språket var ålderdomligt hade redan dialektforskaren Folke Hedblom konstaterat, när han i början av 60-talet spelade in svenska dialekter i USA. I sin bok *Svensk-Amerika berättar* skildrar han sitt arbete i Bishop Hill och mötet med de två systrarna: "Redan deras första ord slog mig med häpnad; det var Gammel-Hälsingland som ljöd i mina öron! Någon svenska med så äkta klang från hembygden hade jag dittills inte hört i Amerika. Så där ungefär borde det ha låtit i Erik Janssons stora skaror i södra Hälsingland för drygt hundra år sedan."[3]

Men de flesta Bishop Hill-bor hade då för länge sedan glömt sitt svenska språk eller skämdes för att tala det. Känslan för Sverige var ofta sval, kontakterna med hemlandet obetydliga och stoltheten över det som förfäderna hade uträttat nästan obefintlig. I dag, 1995, har den hållningen förändrats och förbytts i glädje och optimism samt i ett medvetande om platsens stora värde.

Gärna vandrade vi vid detta första besök omkring med bandspelaren i samhället tillsammans med den 84-årige Emil Eriksson. Timme efter timme fylldes banden med hans skildringar på kryddat noramål av emigranternas farofyllda seglatser på järnlastade gävleskutor över Atlanten och av den sista hårda etappen över prärien till Bishop Hill.

I den gamla kyrkan gick vi från målning till målning och Emil berättade om Olof Krans livsverk. Jag fängslades av konstnärens skildringar av arbetslivet i kolonin, av de porträtt av stränga män och några få kvinnor som då hänge på kyrkans väggar. Bilderna var smutsiga och trasiga samt försedda med en stämpel som angav: "Property of The State of Illinois". Året därpå restaurerades de av Nationalmuseum och visades under Historiska museets utställning "Bishop Hill – svensk koloni på prärien".

En av målningarna föreställde Peter Wickblom. Det var en egenartad upplevelse att sedan få sitta på finrumsgolvet hemma hos Alfhild Oberg och lyssna till rösten av denne man som föddes i Alfta i Hälsingland år 1810. Rösten finns bevarad på tre av de många inspelningar som Jonas Berggren, Alfhilds och Alfvas far, gjorde i Bishop Hill 1902–08.[4] I en av dem skildrar Wickblom sin överfärd 1846:

"Då jag for till Amerika vart sjömännen villad av en fiskarbåt och tänkte det var en fyrbåk och for bortitok så skeppet törna omkring ovanför. Det braka så vattnet forsa in i lastluckan ungefär som ett spjällock. Och vi till att pumpa, och då kom kvinnorna och jämra sig och grät, och sa att det öka ... Jo, visst kommer vi till land, sa jag. Och vi till att pumpa, vi var många starka karlar, pumpa en femton minuter på man. Så rätt som det är började det minska och vi pumpa läns ..."[5]

Wickblom avslutar sin skildring med att nämna att skeppet sedan fick lotsning till en engelsk hamn och att hela resan tog 21 veckor. Han berättar att han är 94 år och några månader gammal när inspelningen görs den 3 april 1904, samt att han numera är så lat att han inte längre bryr sig om att läsa. Men så tillägger han: "Fast har jag bra glasögon kan jag läsa."

Wickbloms röst är en av de äldsta som bevarats till vår tid. Äldre är bara den engelske statsmannen William Gladstones och hans landsman Lord Tennysons röster, båda födda året innan Wickblom. Men Berggrens inspelningar med Wickblom är ännu märkligare än dessa engelska stämmor eftersom de utgörs av intervjuer och inte av uppläsningar.[6]

Unika är också Berggrens övriga inspelningar. Man kan höra tåget dundra förbi Bishop Hill, medan Berggren och en av hans kamrater spelar munspel och flöjt i en vägtrumma. Han tar med sig fonografen till koloniparken den 4 juli 1904, då Lindbecks familjeorkester underhåller och Bishop Hill Quartett spelar "Stars and Stripes". På ett par rullar sjunger de då femåriga tvillingarna Alfa och Alfhild till sin mors pianoackompanjemang, på en annan framför Olof Anderson "Oxpojkarnas sång". Psalmer blandas med svensk folkmusik, välbekanta amerikanska musikstycken med skämtvisor och en främmande, svårtydbar röst. Den tillhör en syrisk gårdfarihandlare som på arabiska reciterar några verser ur Koranen, när han en dag kommer till Berggrens hem. Rösten är troligen den äldsta arabiska som bevarats.

1993 såldes Jonas Berggrens inspelningar och alla de hundratals antikviteter som han hade samlat under sin livstid på en auktion i Galva. Tack vare anslag från Marcus och Amalia Wallenbergs Minnesfond kunde jag då ropa in Berggrens egna inspelningar och de tidiga kommersiella

Peter Wickblom. Oljemålning av Olof Krans (s 134).

Jonas Berggren vid sin fonograf, t v tvillingarna Alfva och Alfhild. Foto ca 1910.

vaxrullar med svensk musik som också ingick i samlingen. De förvaras numera i det statliga Arkivet för ljud och bild (ALB) i Stockholm.7

Sören Hallgren och jag återvände våren 1969 till Bishop Hill för att fortsätta vårt arbete. I Bishop Hill Heritages arkiv och hos flera ättlingar till de första utvandrarna kunde vi ta kopior av brev, minnesskildringar, protokoll och många andra dokument.8 Berättelserna från den tid då erikjansarna byggde sitt samhälle och levde i en både andlig och ekonomisk gemenskap är ofta livfulla och märkligt välformulerade. Om livet i samhället sedan samfundets upplöstes 1860 och all egendom fördelats mellan kolonins medlemmar gav många gamla fotografier besked. I hemmen och i kolonikyrkans och Tornbyggningens samlingar fanns det gott om möbler, redskap och andra föremål från pionjärtiden. Vi hade kommit till ett samhälle där det svenska kulturarvet bevarats bättre än på någon annan plats i Nordamerika. Dess största rikedom var de många storslagna byggnaderna från 1850-talet.

Vi bodde själva denna andra sommar i ett av dessa hus, det gamla hotellet, där ett par rum gjorts i ordning åt oss. Hundra år tidigare prisades det ofta i pressen för sin utsökta mat, sina komfortabla sängar och bländande vita lakan. Nu var byggnaden förfallen. Murarna vittrade och balsalen högst upp på tredje våningen hade sedan länge förlorat sin forna glans. I källarvåningen var det ännu sämre ställt. Det fick jag erfara då trappan dit ned brast och jag hamnade på källargolvet i ett halvmeterdjupt vatten som lindrade fallet.

En morgon vid frukostbordet hördes ett våldsamt brak i vår närhet. Det var kolonins gamla butik som delvis hade rasat samman på grund av bristfälligt underhåll. Lokalpressen ryckte ut och uttryckte farhågor för att detta var början till slutet för Bishop Hill och dess byggnadsminnen.

Från denna dag tog mitt arbete i Bishop Hill en ny vändning. Lika viktigt som det var att samla in gamla dokument, fotografier och traditioner blev det nu att söka väcka en opinion i USA och Sverige för att rädda platsen från ett fortsatt förfall. Det är ett arbete som fortfarande pågår.

Tegelsten från Storbyggningen med inristad spinnrock (s 65). Akvarell. Index of American Design, National Gallery, Washington (s 150).

13

Profeten från Biskopskulla

"Anklagade Erik Jansson, av vanlig mans växt, väl klädd i blå klädesrock, hade ljusbrunt kortklippt hår, magert bleklagt ansikte med utstående kindknotor, insjunkna kinder, spetsig rak näsa, rund haka, blå insjunkna ögon, medelmåttigt stor mun, tunna hårt tillslutna läppar, ovanligt långa och breda tänder i övre delen av munnen, samt röjde i sitt hela utseende icke något ovanligt eller vidrigt." Så beskrivs Erik Jansson, bondepredikanten från Biskopskulla, som ledde den första stora emigrationen till Amerika, i ett domsprotokoll från oktober 1845.

Det finns inget känt porträtt av Erik Jansson. Han levde före kamerans genombrott på den svenska landsbygden och i den amerikanska Västern. En målning av Olof Krans, utförd flera decennier efter Erik Janssons död, har ibland uppfattas som en symbolisk skildring av profetens och hans församlings färd över havet, men är i själva verket en kopia av en färglitografi av Clarence N Dobell, "From Shore to Shore" (s 143).

Vem var då denne ledare och predikare vilken betraktades som så farlig av den etablerade kyrkan att han hotades med fängelse för sin förkunnelses skull? Vari låg hans styrka? Hur kunde han övertyga välbärgade bönder och fattiga torpare, pigor och drängar, unga och gamla att han var utkorad av Gud? Vad var det som fick omkring femtonhundra av dem att lämna sina hem och närstående för att följa honom till Amerika?

Erik Jansson var en karismatisk ledarbegåvning med en nästan hypnotisk makt och ägde en ovanlig förmåga att uttrycka sig. Han var "en i andligt avseende storslagen människa, och även till det yttre var han stor och ståtlig. Det var få karlar som gick upp mot honom i arbetet ute på åker och äng", säger en av de kvinnor som påverkades av hans personlighet, snarare än av hans förkunnelse.[1]

I en efterlysning utfärdad 1845 av landshövdingen i Gävleborgs län ges en något annorlunda bild av mannen: "Erik Jansson är 37 år gammal, av medelmåttig längd med magert ansikte, ljusbrunt hår, och har i övre som nedre munnen tvenne framstående ovanligt breda tänder, och saknar yttersta leden på högra pekfingret."

Biskopskulla ligger i en gammal kulturbygd ca 15 kilometer norr om Enköping och 40 kilometer från Uppsala. Från kyrkan leder en väg upp till det som en gång var Landsberga by. En samling husgrunder efter några små bondgårdar och torp med uthus och stenmurar är nästan det enda som i dag återstår av byn där "profeten från Biskopskulla" föddes i december 1808.[2]

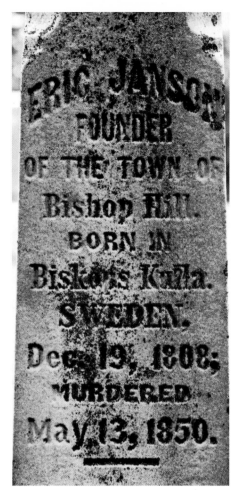

*På sin andra sida har gravstenen på kyrkogården i Bishop Hill svensk text. Jansson
föddes den 21 december 1808, inte den 19 som anges på stenen.*

1979 restes här ett monument till minne av Erik Jansson med texten
"Ledare för en religiös sekt. Utvandrade med sin församling till Illinois
USA. Grundade där 1846 kolonin Bishop Hill." På gravvården i Bishop
Hill står dessa ord: "Eric Janson född den 19de december år 1808: Mör-
dad den 13de Maj, år 1850." De två stenarna berättar om ett av de märk-
ligaste livsödena i den svensk-amerikanska historien.

Numera talar man i Biskopskulla och Bishop Hill med stolthet om Erik
Jansson och hans verk och i museer på båda orterna skildras det samhäl-
le som han skapade. Men för bara ett par decennier sedan var bilden än-
nu en annan, färgad av 1800-talets religionsstrider, av det förtal som erik-
jansarna utsattes för även i sitt nya hemland, liksom av de tragedier som
historien om Bishop Hill rymmer.

Erik Janssons föräldrar Jan Matson och hans hustru Sara Ersdotter var bondfolk som två år före Eriks födelse hade flyttat in från grannförsamlingen Torstuna. Deras religiösa känsla var, enligt sonen, "lik den kallsinniga hopens, som hade sin gudsfruktan uti kunskapen och högaktningen för kyrkan med alla dess prydnader och prästerskap".3

Som många andra religiösa ledare berättar Erik Jansson om hur han redan som liten kände en själens oro. Han var annorlunda och hade inget behov av att delta i de andra barnens lekar och världens fåfängliga nöjen, vilket kanske också berodde på en skallskada som han ådrog sig vid åtta års ålder. Den gav honom en ständig huvudvärk.

1820 flyttade föräldrarna med sina fem barn tillbaka till Torstuna. Där undfick Erik, då 22 år gammal, nåden och löstes både från själens oro och kroppens plågor. Svårt pinad av reumatisk värk slogs han en dag, då han var ute och plöjde, till marken där han blev liggande i stoftet liksom en mask. "Då föll det mig i tankarne hvad Jesus Kristus gjorde då han vandrade ibland menniskorna på jorden ... så bad jag honom, att jag skulle blifva helbregda, och på samma stund detta uppenbara tecknet fullkomnades uppå min kropp ..."4

Efter denna händelse, som Erik Jansson betecknar som sin första kallelse, påbörjade han ett intensivt studium av Bibeln och av Arndts och Luthers skrifter. Han gifte sig 1835 med Maja Stina Larsdotter och arrenderade en tid en gård i Torstuna. Eftersom han var duktig jordbrukare, kunde han tre år senare köpa ett eget hemman, Löttorp i Sånkarby, Österunda socken.5 Janssons andra kallelse inträffade fem år senare i samband med ett marknadsbesök i Uppsala, där han upprördes över det ogudaktiga levernet. Nu kunde han inte längre stå emot att "taga Kristi kors uppå sig och predika Kristi evangelium för alla, som ville höra".

Torstuna och framför allt Österunda blev centrum för den väckelserörelse som utgick från Erik Jansson. Sina mest hängivna anhängare vann Jansson i Nora som han besökte flera gånger. Denna socken påverkades starkare än någon annan utanför Hälsingland av emigrationen till Amerika. Av dess ca 2 300 invånare utvandrade 170 personer 1846–1854, bland dem Bishop Hills skildrare, målaren Olof Krans och dennes föräldrar.6 I de flesta andra församlingar i Uppland hade Jansson obetydlig framgång med sin förkunnelse.

Genom sina eldande bibeluttolkningar på läsarmöten väckte Erik Jansson uppmärksamhet vida omkring. Hans förhållande till statskyrkan och prästerskapet var emellertid under denna tid oproblematiskt. Jansson besökte flitigt sin hemkyrka och tog emot nattvarden.7

Stor betydelse för Erik Janssons andliga utveckling fick komministern i Österunda Johan Jacob Risberg. De medverkade tillsammans vid flera läsarsammankomster i Österunda, dit också folk från grannsocknarna Torstuna och Nysätra sökte sig. Risberg var lågkyrklig och banade genom sin förkunnelse och tolerans vägen för Erik Jansson.

Nora kyrka. Oljemålning av Olof Krans (s 141). Foto Merle Glick.

Den som är född av Gud

Så småningom kom Erik Jansson att alltmer avlägsna sig från kyrkan och prästerskapets förkunnelse. Han vände sig mot Luther och Arndt, som båda hade varnat för lekmannapredikanter, och mot all annan religiös litteratur. Bibeln och senare Erik Janssons egna skrifter skulle vara de troendes rättesnöre.

Att Erik Jansson hamnade i en allt oförsonligare motsättning till såväl kyrkliga som världsliga myndigheter, har bland annat att göra med hans inställning till den av kyrkan godtagna religiösa litteraturen. Ännu starkare reagerade emellertid de kyrkliga myndigheterna mot hans lära att den kristne är utan synd och till och med saknar möjlighet att synda: "Den som är född av Gud kan icke synda, och den som gör synd är av djävulen." Denna förkunnelse, som Erik Jansson konsekvent höll fast vid under hela sin livstid, ledde till att många av de präster och läsare som först uppskattade hans förkunnelse snart vände sig mot honom.

Erik Janssons predikningar kunde pågå i upp till fem timmar och var fyllda av bibelcitat. De var ofta känslosamma men samtidigt kraftfulla och medryckande. Jansson var, säger P N Lundqvist som 1845 publicerade en omfångsrik vederläggning av hans lära, "begåfwad med ett utmärkt minne, gott förstånd, träffande omdömesförmåga, en ledig tunga och mycken lätthet att redigt uttrycka sig. Satte sig någon emot, så dräpte han honom snart med sin muns svärd."[8] Till Janssons lärjungar hörde Anna Maria Stråhle, en av de unga kvinnor som skulle följa profeten till Amerika. För att få vara nära sin ledare blev hon piga i hans hem i Österunda. Medan hans förkunnelse knappast skapade någon oro i Torstuna och Nora, ledde motsättningarna mellan erikjansarna och deras vedersakare i Österunda till våldsamma uppträden. I spetsen för dessa stod Nils Abraham Arenander som 1844 utsågs till komminister i församlingen.

"Vi ådrogo oss allt mer och mer förakt, och blefvo utropade för läsare och djeflar ... Det uppstod en egenskap hos oss att samlas mera och oftare", säger Anna Maria Stråhle i en berättelse om gruppens liv vid denna tid. "För vår del ansågo vi Erik Jansson som Paulus stå i Kristi stad ... Derpå blef Erik Jansson förnekad, med många af oss, att gå till Herrans nattvard, vi voro ej betraktade såsom kristna, blefvo fråntagna våra borgliga rättigheter; oduglige att vittna vid någon rättegång. Huru kunde vi då gå i deras kyrka? Nej, vi kunde ej, vi måste lämna henne."[9] I ett domstolsprotokoll berättar Sofia Carolina Schön från Forsa i Hälsingland om hur hon och Anna Maria Stråhle utsattes för Arenanders övergrepp, då denne en natt bröt sig in i Klockargården på jakt efter Erik Jansson:

"Efter det prästen med våld öppnat förstugudörren samt insläppt sina följeslagare samt dessa gått in i samma kammare där jag och Anna Maria lågo, började prästen kalla mig sköna brud och till min samt säkerligen även de andras förvåning ryckte av mig täcket, alldeles glömmande ej blott sitt ämbetes värdighet, utan ock den anständighet varje hyfsad karl gärna visar värnlösa och i sådan belägenhet stadda kvinnor."

Även om Arenander handlade utan officiell sanktion, ledde denna och liknande händelser till att jansoniterna alltmer tog avstånd från kyrkan och dess prästerskap. Den förföljelse som de utsattes för drev dem mot en extremism i tron som kyrkan fick allt svårare att godta. Det våld som utövades mot dem stärkte deras sammanhållning.

I början av 1900-talet intervjuade Philip Stoneberg, som hade växt upp i Bishop Hill, några av de erikjansare som då ännu var i livet. Deras vittnesbörd om de övergrepp som förövades mot dem i Österunda liksom senare i Hälsingland är enstämmiga. Eric Aline som ingick i en av de grupper som avseglade från Stockholm sommaren 1846 berättar:

"Ja, jag kommer ihåg hur fienderna samlade sig i Österunda för att störa våra möten. De kom en gång ifrån Långtora socken i Uppland till Anders Persons hem i Domta, där mötet hölls. De voro druckna och vilda och sparkade upp dörren och gick längst in i byggnaden där Olof Stoneberg, Anders Andersson och Lars Persson sutto och läste i Bibeln och predikade. De togo dem i håret och släpade ut dem emot en vägg, och de togo emot allt och teg. Men då gick Anna Maria Stråhle och kallade på länsman Johan Ekblom från Torstuna by, en mycket snäll man, som hon var känd med förut. Han kom med henne så fort som möjligt; och då fienderna fingo se honom blevo de rädda och bar av i hast ifrån byn, folkhopen blev skingrad och gården blev tom på en liten stund."[10]

Olof Stenberg, eller Stoneberg som han kallade sig i USA.
Oljemålning av Olof Krans.

Johan Ekblom var en person av en ovanlig resning och ägde en stark rättskänsla. Han gjorde vad han kunde för att dämpa oron i Österunda och se till att jansoniterna inte trakasserades, trots att han inte sympatiserade med deras trossatser. Efter utvandringen till Amerika följde han deras öden genom de många brev som en i Chicago avhoppad sektmedlem sände honom (s 57).

Då stämningen blev allt mer hotfull, bestämde sig Anna Maria Stråhle och Janssons hustru för att i Uppsala söka upp rådmannen Lars Vilhelm Henschen. Denne hade redan tidigare hjälpt erikjansarna i deras kontroverser med myndigheterna. Sedan de berättat vad som försiggått skrev Henschen en inlaga till kungen med anhållan om att deras medborgerliga rättigheter skulle respekteras.

Med denna petition reste de två kvinnorna vidare till Stockholm för att personligen få framlägga sin sak för Oscar I. Anna Maria Stråhle berättar: "Drottningen lovade att konungen skulle få träffas påföljande morgon; vi foro dit omkring sex gånger, men slutligen började kammartjenarne begabba oss ... Sedan passade vi på, när konungen skulle uppstiga i sin vagn, att säga något om vår sak ..." Uppvaktningen fick effekt och erikjansarnas rätt att avlägga vittnesmål vid domstolsförhandlingar fastslogs.

Henschen var liberal och genom sin religiösa bakgrund med livliga kontakter med pietism och metodism kritisk mot den intolerans som kyr-

19

ka och stat visade läsarna. Mot läsarnas sammankomster fanns ett officiellt förbud, stadfäst genom konventikelplakatet 1726. Under 1700-talets senare hälft och fram till Erik Janssons konflikt med statskyrkan på 1840-talet tillämpades dock sällan detta förbud, och inga åtal väcktes i Uppland eller Hälsingland mot de läsare som bröt mot förordningen. Orsaken därtill var kanske mindre sympati för läsarna och deras andaktsutövning än en allmän fördragsamhet i upplysningstidens anda.

Under flera decennier var Henschen en av de ivrigaste kritikerna av konventikelplakatet. Han skrev debattartiklar i det radikala Aftonbladet och tog flera gånger upp frågan i riksdagen. För erikjansarna var det naturligt att vända sig till denne man för att söka hjälp i sin kamp för religiös frihet och medborgerliga rättigheter.

Redan i början av 1840-talet kom Henschen i kontakt med bröderna Jonas och Olof Olsson i Söderala, Hälsingland. I december 1844 fick han fullmakt att föra deras talan i juridiska sammanhang.[11] Han skrev de flesta besvärsskrivelser som Erik Jansson, Jonas och Olof Olsson samt andra församlingsmedlemmar även vid andra tillfällen inlämnade till kungen, till landshövdingar och biskopar, men han blev själv aldrig en erikjansare.

Söderala kyrka. Ur S A Blombergsons Norrlandsvuer, 1836.

Läsarbygd

I få svenska bygder hade de fromhetsriktningar som med ett sammanfattande namn kallas läseriet fått en sådan bred omfattning som i Hälsingland. Från slutet av 1700-talet var det här vanligt, att bönderna samlades till läsning och bön hos någon i byn. Ofta slöt sig det lägre prästerskapet till dessa läsare, som i opposition mot en förvärldsligad kyrka ägnade sig åt ett intensivt fromhetsliv.

Vid mötena, som ofta ägde rum i fäbodarna, läste man ibland upp långa brev eller religiösa utläggningar skrivna av läsare. Denna uppbyggelselitteratur spreds från by till by. Ibland hade den självbiografins form och gav besked om de religiösa upplevelserna, omvändelsen, fromhetslivet.[1] En utlöpare av denna tradition är de många brev som kolonisterna i Bishop Hill sände hem till släktingar och vänner, liksom de självbiografiska anteckningar som finns bevarade härifrån.[2]

Man förvånas över att erikjansarna "är mer skrivkunniga än svenskt allmogefolk i gemen", säger Vilhelm Moberg: "De flesta av författarna till de brev jag läst uttrycker sig ledigt i skrift. Brevstilen är biblisk, bilderna och liknelserna är hämtade ur bibeln, långa stycken har man en känsla av att man läser den heliga skrift."[3]

Det var naturligt att Erik Jansson drogs till en bygd där den religiösa friheten redan tycktes etablerad och där befolkningen verkade vara särskilt mottaglig för en förkunnare som krävde lydnad och försakelser. Jansson planerade också att bosätta sig i Hälsingland och sålde därför sin bondgård i Sånkarby. Men när fadern dog, övertog han dennes hemman Klockargården i Österunda. Redan vid sitt första besök 1843 i Hälsingland, dit han reste under förevändning att sälja vetemjöl, hade Erik Jansson kommit i kontakt med Jonas och Olof Olsson. Bröderna blev snart hans mest inflytelserika lärjungar. De var välkända läsare och aktade bönder i sin hembygd. Jonas Olsson var nämndeman och utan dennes goda anseende är det inte troligt att Erik Jansson haft så stor framgång i denna trakt, som han besökte ytterligare två gånger under 1843.[4]

Till dessa fromma bygder flydde Erik Jansson 1844 undan oroligheterna i Österunda och bosatte sig i Forsa, där storbonden och nämndemannen Jon Olsson i Stenbo redan tidigare hade blivit en av hans anhängare. Av denne fick han nu köpa en gård i Lumnäs.[5]

Sina flesta lärjungar vann Erik Jansson i Voxnadalen, framför allt i Alfta, där läseriet var särskilt utbrett. Samtidigt saknades i denna socken starka ledargestalter bland läsarna, vilket kan ha gjort det lättare för honom att värva anhängare. Dispyter uppstod visserligen ofta vid de sammankomster som ägde rum, men Erik Janssons talekonst och omfattande bi-

Alfta kyrka. Oljemålning av Olof Krans (s 141). Foto Merle Glick.

belkunskap firade stora triumfer. Då hans lära om syndfriheten kritiserades och hans utkorelse ifrågasattes, svarade han med mängder av bibelcitat som motståndarna hade svårt att argumentera emot.[6]

Hur långt Jansson ursprungligen gick då han förfäktade den omvändes syndfrihet är oklart, säger P P Waldenström och tillägger utifrån egen erfarenhet: "Man vet, att så snart någon afviker från den allmänt antagna läran, så tilläggs honom vanligen åsigter, som han aldrig har haft. Men det kan också hända, att han genom motståndet drifves längre, än han från början åsyftat. Personer, som då voro Erik Janssons anhängare men senare blifvit metodister, hafva försäkrat att hans lära i alla väsentliga punkter var enahanda med metodisternas."[7]

Uppmuntrad av sin framgång i Alfta försökte Erik Jansson utvidga sin församling till andra socknar i Hälsingland, Gästrikland och Dalarna. Framgången blev liten i Norrala, eftersom där fanns en framträdande läsare, smeden P Norin, som kunde svara Jansson med hans egna vapen, bibelorden. Inte heller i Järvsö och Delsbo ville man lyssna till hans förkunnelse. Stort inflytande fick Erik Jansson däremot i Söderala tack vare bröderna Olsson. Därifrån kom också de flesta av de män som blev erikjansarnas ledare i Bishop Hill. För att sprida sin frälsningslära utsåg han fyra "apostlar", Anders Berglund, Olof Stenberg, Olof Johansson och Jonas Olsson, och till dessa knöts ytterligare sju som skulle verka för erikjansismens utbredning.

Den 7 augusti 1845 rapporterar Stora Kopparbergs läns tidning att Erik Jansson utnämnt "icke mindre än femton" apostlar samt dessutom "tre profetissor, vilka alla skola avgå till sina destinationsorter för att predika Guds klara ord. I dessa dagar har en karavan dylikt pack spridt sig åt Dalasidan ..." I artikeln uppges att kvinnorna lagt av "sina högtidskläder, emedan profeten Erik Jansson befallt dem att kläda om sig för att icke mera likna syndare. Karlarna hava förr haft långt hår med bena, nu skola de hava håret avklippt och kammat åt en sida, korta rockar med fällkrage samt vita hattar med stora bård." Till Dalarna nådde erikjansismen i slutet av 1844 genom tre kvinnor. I Hedemora överraskade en kvinna, som talade vid ett nykterhetsmöte, sina åhörare med en förkunnelse i Erik Janssons anda: "I kunnen aldrig bliva saliga, om I icke slån ifrån Eder sådana präster och hållen Eder till dem som hava den rätta läran." Sedan hon smädat prästerskapet och lovprisat sin profet vid några läsarsammankomster häktades hon och fördes till landshövdingen i Gävle. Då hon sade sig ångra sina uttalanden, släpptes hon fri och kom inte i fortsättningen att spela någon roll i erikjansarnas missionsverksamhet.[8]

Större betydelse fick ett par malungskullor som återvände till hembygden från Söderala där de arbetat med ullkardning. De åtföljdes av en av Janssons mest hängivna lärjungar, drängen Erik Olsson från Tranberg i Alfta. Han predikade så väl att flera av de rikaste och mest ansedda bönderna i Malung anslöt sig till sekten. Bland dessa var Linjo Gabriel Larsson som mer än någon annan gjorde det möjligt för fattiga och egendomslösa erikjansare att följa sin profet till deras "Nya Jerusalem" (s 38).

Jansismens mest omskrivne företrädare i Dalarna vid denna tid var sockenskräddaren i Mora, Anders Blomberg. Liksom flera andra församlingsmedlemmar satt han tidvis fängslad för sin tros skull. Trots att de förföljdes också i Dalarna växte skarorna snabbt. Bland de omkring 120 personer som 1846 fick pass för att utvandra fanns enligt Hernelius 25 från Mora, 56 från Malung, 31 från Falun och sex från Lima.[9]

Röken af afgudarna

I takt med att hans församling växte, intensifierade Erik Jansson sina angrepp mot kyrkan och prästerskapet som han kallade för "ett djävulens anhang". Han framställde sig allt oftare som Guds sändebud på jorden, "en gudasänd profet", det "största ljuset alltsedan apostlarnas dagar".[10] En präst i Alfta rapporterade till domkapitlet 12 juni 1844, att Jansson predikade att "allt vad prästerna lärde och allt vad folket läst synnerligen om de begagnat Luthers, Arndts och Nohrborgs arbeten, var en djävla lära".

Dagen innan hade något oerhört inträffat i Tranberg några kilometer från kyrkbyn – ett bokbål. Om detta berättas målande i P N Lundqvists skrift från 1845, *Erik-Jansismen i Helsingland:* "Bränningsdagen kom. Det var den 11 juni 1844. En myckenhet folk äfven från Bollnäs och Ofwanåker hade dagarna förut burit eller fört sina böcker till Bonden Anders Olssons gård i Tranberg. Ännu på morgonen af den sorgliga dagen såg man flera båtar på Wiksjön, som förde böcker till stället. Gående personer buro tunga bördor, flämtande, och när någon ... frågade hwart de ämnade sig, swarades med ett triumferande trots: jag skall gå och bränna upp afgudarna. Ännu i sista stunden twekade dock många, men E. J:son ... lofwande dem en himmelsk glädje, då röken af afgudarna uppsteg ... Ett stort bål war rest... och Luthers, Arndts, Scrivers, Nohrborgs med fleres skrifter, jemte alla de förwillades nykterhetsskrifter, uppgingo i lågor under skarans instämmande i ´Tackom och lovom Herran´, upptaget af Olof Olsson ... en man af ett brusande mod. Den himmelska glädjen uteblef dock. I stället genombäfwades hopen af en hemsk känsla, utan att derigenom komma till sansning. Detta ohyggliga brännoffrande grundades på Ap. Gern. 19:19, där det heter: Men månge af dem, som förwetna konster brukat hade, buro fram böckerna och brände dem upp i hwar mans åsyn."

Värdet av de brända böckerna uppskattades enligt Stora Kopparbergs läns tidning den 27 juni 1844 till "den enorma summan av 975 riksdaler". Då några närvarande försökte ta vara på de bokpärmar som undgått elden skall Erik Jansson ha varnat dem med orden: "Förbannad ware var och en som tager pärmarna af afgudarna." I Olof Olssons mun lade tidningen några ord som denne troligen aldrig hade fällt: "Vår enighet och våra beslut är så fasta, att förr än någon bok får återtagas, skall blodsutgjutelse ske på stället."[11]

Liksom sin bror Jonas hörde Olof Olsson knappast till de fanatiker som också samlades kring Erik Jansson. Medan en liberal tidning som Norrlands-Posten i Gävle som regel var saklig i sin beskrivning av de tilltagande motsättningarna mellan erikjansarna och den kyrkliga och världsliga makten, svartmålade andra tidningar sektens verksamhet och bidrog till att skapa en hatisk stämning mot dess medlemmar bland allmänheten.

Detta ledde till att erikjansarna svetsades samman. Snart stod det klart för dem "att om de ville hafva frihet att dyrka Gud efter sitt samvete, måste de lemna Sverige och söka sitt hem i ett annat land".[12] Om verklig religionsfrihet hade funnits 1845–46, "då hade ingen utflyttning skedt till America, af Erik Jansonisterna" heter det i en minnesskildring av en församlingsmedlem.[13]

Flera av de mot sekten kritiska artiklarna gavs ut som pamfletter och spreds i stora upplagor bland befolkningen. 1846 utkom i Hudiksvall en "Sång angående Erik-Jansiska Willfarelsen författad av en Bonde i Norra Helsingland". Den kunde sjungas "efter flera bekanta melodier i Psalmboken" och inleds med dessa strofer.

> O Gud! Hvad ängslan, sorg och qval
> i wåra bygder höras,
> Ty mången själ nu synes skal,
> Att till förderfwet föras.
> Nu själafienden wäl ser
> Sin tid förkortad mer och mer,
> Ty rasar han dess wärre.

Han falska läror diktar opp
Att menniskor förgöra,
Förderfwa dem till själ och kropp
samt tukt och ordning störa.
Det är hans nät, deri han får
Mång menlös själ, som ej förstår
Sig för hans snaror wakta.

Nya bokbål anställdes i Lynäs i Söderala i oktober 1844, i Stenbo i Forsa i december samma år samt i Tovåsen djupt inne i Hälsinglands skogsbygder i november 1845. Bokbrännandet väckte en oerhörd uppståndelse och behandlades utförligt i hela den svenska pressen. I en kungörelse av den 22 november varnade landshövdingen jansoniterna för att "häda vår antagna religionslära, sprida villomeningar, smäda prästerskapet och uppmana till förbränning av religionsböcker".

Uppträdet var ruskigt

Flera rättsliga ingripanden gjordes som en följd av erikjansarnas provocerande uppträdande. Jonas och Olof Olsson instämdes upprepade gånger till konsistoriet i Uppsala för att inför biskop och präster förhöras om sektens villfarelser. Genom personlig hänvändelse till Oscar I och med stöd av de inlagor, ett femtiotal sammanlagt, som utarbetades av L V Henschen försökte de återfå de medborgerliga rättigheter som alla jansoniter fråntagits. Även Erik Jansson uppvaktade monarken med bön om tolerans och rättvisa.

I ett sockenstämmoprotokoll från Alfta daterat 19 januari 1845 skildras den oro som då rådde i socknen: "Den bittraste smärta intager varie rätttänkande, då man erfar, att omkring 250 människor, på en usel bedragares befallning, helt och hållet övergiva församlingen, förkasta landets religion, förbanna gudstjänst, kyrkogång och lärare samt förbjuda sina barn att läsa den antagna katekesen, den de kasta på elden. Dessutom förgripa sig de vilseförda på sin egendom i så måtto, att de avsätta två procent på allt vad de äga ´till den förfallna Kristi kyrkas uppbyggande´, såsom det heter."[14] Gjordes kanske denna uttaxering inför den planerade utvandringen till Förenta Staterna eller för att bygga ett kapell, vilket Norrlands-Posten uppger den 8 april 1845?

Lynchstämning rådde bland befolkningen i de bygder där jansoniterna höll till, och flera intermezzon inträffade, bl a i Långhed några dagar efter bokbålet i Tranberg. Härom berättas i en artikel i Stora Kopparbergs läns tidning den 27 juni 1844:

"I går natt gjordes ett misslyckat försök att gripa Erik Jansson, som då befann sig i Långheds by jämte en talrik skara läsare. Mitt på dagen samlade länsman Holmdal en stor massa handfasta karlar för att förnya försöket. Uppträdet var ruskigt, vilket jag personligen närvarande hade tillfälle bedöma. Läsarna försvarade med samlad styrka ingången till det hus som inneslöt deras frälsare ... Männen slogs, kvinnorna skreko och tjöto, man såg blod flyta och hela uppträdet liknade ett religionskrig."

En mer detaljerad skildring av händelserna vid Olphersgården i Långhed har förmedlats av Johan Olsson: "Huset genomsöktes men Erik Jansson stod inte att finna. Men några av männen som sökte på vinden tyckte sig höra något misstänkt ljud från en öppning i golvet mellan skorsten och väggen och skomakare Rak från Gundbo utropade ´ge mig ett ämbar kalk, så skall jag ta fram Erik Jansson´. Han hade tänkt att gömma sig mellan väggen och muren men då där inte var något golv hade han fallit ner till höjd med andra våningen. Hål togs nu på muren och Jansson togs fram den vägen."

Efter arrestering i Långhed fördes Erik Jansson först till fängelset i Gävle och därefter till Västerås, varifrån han snart frigavs efter en vädjan till kungen av några församlingsmedlemmar. Några månader senare sattes Jansson på nytt i häkte i Västerås men frigavs åter. Efter bokbålet i Lynäs arresterades han än en gång och genomgick i samband därmed sinnesundersökning. I utlåtandet konstaterades:

"Erik Jansson, som är 35 år gammal, mager, av god kroppsbyggnad, begåvad med livlig föreställningsförmåga och intagen av religiös rörelse, lider av ett exstaserat tillstånd, gränsande till partiell sinnesrubbning under i övrigt bibehållne själskrafter och utan tecken av något kroppsligt lidande. Dess i minnet uppfattade verbala samling av bibelspråk, deras kombinationer, tillämpningar och förklaring efter egna, som det synes, orubbliga åsikter, utvisa en mer än vanlig fattningsförmåga hos en i övrigt rå och obildad människa."

Väl återkommen till Hälsingland fortsatte Erik Jansson sina predikningar och talade bl a från en klipphylla på Losjöberget till en stor skara människor. (Platsen kallas nu Ersk-Jansaklitten; på det ställe där han tros ha hållit sin "Bergspredikan" har en "predikstol" byggts upp.) Under våren och sommaren 1845 intensifierades kampanjen mot jansoniterna, och flera svårartade sammanstötningar ägde rum, bl a i Forsa:

"Länsman Åström kom med sin pöbelhär, alla beväpnade med påkar. På en hög bro intill storbyggningen stod Jansson och predikade. Länsmannen kom i sakta mak upp till Jansson och sade: ´Du är min fånge´. I det samma fick en qvinna tag i länsmannens ena ben och drog honom utför trappan." Jansson lyckades då fly, men angriparna tog sig in i huset som genomsöktes utan resultat. Tillsammans med Olof Stenberg hade Jansson lyckats undkomma i en roddbåt. När detta uppäcktes satte männen efter dem och jagade dem genom skogarna hela natten tills de lyckades ta sin tillflykt till Jonas Olssons hem i Söderala.[15]

I oktober 1845 inställde sig emellertid Erik Jansson frivilligt till en rättegång i Delsbo. Många vittnen intygade hans brottsliga förkunnelse och en av hans tidigare lärjungar, Bos Karin, hävdade dessutom att han var "en landstrykare och horkarl". De närvarande jansoniterna fick inte yttra sig. En av dessa, O Frenell, skrev långt senare ned en skildring av rättegången som bevistades av ett tiotal erikjansare.

Som åklagare fungerade prosten Lars Landgren, sedermera biskop i Härnösands stift. Dennes inlaga upplästes av domaren som sedan ställde frågan till Jansson, om han erkände "horeri" och allt övrigt som Landgren lade honom till last, vilket Jansson förnekade genom att citera olika bibelverser. Dispyterna mellan de två blev hetsiga och pågick timme efter timme. Den självlärde bondepredikanten överträffade den lärde prästmannen i bibelkunskap, vilket fick domaren att irriterad vända sig till Landgren med orden: "Du vet icke bibelns innehåll."

Först efter sex timmar tog man rast. Vi gjorde, säger Frenell, vad vi kunde för att under denna skydda Erik Jansson från prostens anhängare. "Men förgäves, en hop oförnuftiga qvinnor trängde sina hufvuden under våra armar och spottade Jansson i ansiktet flera gånger och ropade, kom ut så vi kan se dig, hvarpå han uppsteg på ett ohyffsat bord och hällsade dem alla att beskåda honom, då hädades han med det värsta hån och försmädelse som kunde upprepas."

Rättegången pågick till 12 på natten, då domaren förklarade att han ansåg att Jansson var oskyldig och borde släppas. Mot detta protesterade nämndemännen och krävde att "en sådan villeande måste gå i häcktet". Så blev också rättens beslut. Då Jansson leddes ut, "började Prostens anhängare att sparka och slå Jansson för varje steg. Han ropade på befallningsman att skydda honom, men svaret blef, du tål allt vad du får."

Under fångtransporten till Gävle befriades Jansson av sina trogna. "Nästa dag tog en kvinna blod från en killing och stänkte på platsen för att göra en synvilla." I trakten spred sig nu ryktet att han blivit mördad.

Fly måste han

Under tiden hade Jansson, förklädd till kvinna, lämnat de tätbefolkade kustbygderna och sökt sig inåt landet, där han hade gott om hängivna lärjungar. Då ett rykte spred sig att Jansson hölls gömd i en gård i Överbo vid Voxna bruk, ingrep bruksledningen, trakterade några anställda med brännvin och försåg dem med påkar. Så rustade tog de sig in i huset. Jansson lyckades fly men hans anhängare misshandlades hänsynslöst: "De voro blodbestänkta, vid de stora blodfläckarna klibbade hårtestarna, vilka avryckts deras huvuden under dunkningarna mot väggarnas utskjutande uddar och flisor."

Under flykten skriver Erik Jansson ett brev som 1846 utkommer från sektens eget tryckeri i Ina, Söderala under titeln: "Ett afskedstal, till alla Sveriges innevånare, som har föraktadt mig, den Jesus haver sändt; eller förkastadt det namnet Erik Jansson, såsom orent, för det jag har bekänt ´Jesu namn´ inför människor." Talet utgavs senare också i Galva på svenska och engelska tillsammans med Erik Janssons bordsbön. Där gjordes även ett nytryck av hans psalmbok och katekes som hade utgivits 1846.

Talet är präglat av Janssons starka tro på sin utkorelse. Bland motståndarna uppfattades hans ord som gudlös självförhävelse.

Ute i världen väntar man, skriver Jansson, "på det ljus, som detta lilla

27

Voxna bruk. Ur S A Blombergsons Norrlandsvuer, 1836.

Sverige förkastar ... den som mig föraktar, han föraktar Gud sjelf". Men Herren skall "låta mig komma, dit han vill att jag skall verka". Svåra straff-domar skall drabba Sverige, säger Jansson, som han överger inte för att han föraktar sitt fädernesland, utan eftersom han själv är föraktad i sin fö-delsebygd: "deraf måste jag vända mig till hedningarne".

I november kom Erik Jansson till Tovåsen, ett litet nybygge som hade tagits upp 1831 på kronoallmänningen av tre unga Alftafamiljer. Till hans gömställe i en av gårdarna anlände efter en tid Jonas Olsson och flera an-dra av sektens ledare. Det är här, anser Gustav Olanders, som det kom-plicerade utvandringsföretaget planlades i detalj.[16]

I slutet av januari 1846 gav sig Erik Jansson iväg på skidor genom sko-gen först till Grängsbo och därifrån mot Dalarna, där han en tid vistades i Mora och Malung. Här fick han hjälp av Linjo Gabriel Larssons son Lars.

Om flykten berättar en av hans närmaste anhängare: "Erik Jansson fick hålla sig gömd månadtals och fick vistas under golven i bostadshus och lador, där en stark boskapslukt förpestade luften. Till honom måste smy-gas livsuppehälle, som var dåligt mången gång. Fly måste han ofta i köld och frost, för att undvika länsmän som alltid stodo redo att arrestera ho-nom. Han måste försaka sitt jordbruk och hustru och barn. I enlighet med sin tro försökte han fly från Babel."

Från Malung gick flykten genom skogar och över fjäll till Oslo samt därifrån vidare med båt via Le Havre till New York, dit Jansson anlände i början av juni 1846 tillsammans med sin hustru och barn samt några församlingsmedlemmar, tillsammans åtta personer.[17]

Från en hölada någonstans i ödemarken skriver profeten en kall och snöig senvinterdag ett brev till sin församling. Han berättar om sina vedermödor, beklagar sig över att han inte har tillgång till bläck, att han saknar skor och lämpliga kläder. Han påbjuder så en fasta till de tre sista dagarna av april 1846. "Mycket blir då att bedja om, men särskilt påminner jag om några punkter: att ingenting kan hindra mig och min omgivning till att få möta alla Guds vänner denna sommar i Amerika, att jag blir given nåd att kunna tala med mångahanda tungomål, att Gud sänder sina fridsänglar att beskydda vår boktryckare, ty nu skall ingen förmå hindra mitt ords spridande till allt folk, att alla skrymtare utrotas från Guds heliga församling, att Gud gör utväg för alla ärliga att endera få komma med till Amerika eller också flytta till en himmelsk värld."

Adjö, allt folk i detta land,
Som snart sin straffdom finner;
Jag leds här ut vid Herrans hand:
Hans kärlek i mig brinner;
Och Sverige önskar jag din lön,
Som Guds rättvisa gifver;
Och Gud han hörer vist min bön,
Jag fast vid löftet blifver.

(Erik Janssons Avskedspsalm 1846, vers 8)

Utvandringen

Gömda djupt inne i storskogen ligger Tovåsens tre torpställen. Av den ursprungliga bebyggelsen återstår endast några husgrunder och källare. På den igenväxta sluttningen ovanför en av boplatserna kan man se att skogen här en gång har röjts till åker och äng. Bland träden ligger odlingsrösena som monument över nybyggarnas kamp för sina familjers överlevnad. Det är inte märkligt att de lockades av Erik Janssons förkunnelse om ett Amerika som erbjöd inte endast trosfrihet utan också ett bättre liv.

De sålde sina små gårdar och slog följe med andra som anade möjligheterna. Med skeppet *Vilhelmina* anlände i september 1846 nybyggaren Jonas Olofsson, hans hustru Brita och två av barnen till New York. De övriga fem i barnaskaran dog och fick aldrig uppleva det förlovade landet.[1]

När man färdas längs Voxnadalen från Bollnäs genom Alfta och Ovanåker till Edsbyn, förundras man över de många ståtliga bondgårdarna med rikt dekorerade förstukvistar och väggmålningar med scener ur den bibliska historien. Hur kunde människor i en bygd som denna överge sina gårdar som deras släkt brukat under generationer? I Alfta fick Erik Janssons budskap att församlingen skulle lämna hemlandet för att i frihet få dyrka sin Gud en oerhörd genomslagskraft. Från socknen utvandrade 1846 inte mindre 308 personer av en befolkning på knappt 4 000. Det motsvarar en fjärdedel av de sammanlagt 1 326 svenskar som detta år emigrerade till Förenta Staterna, de flesta från Gävleborgs län.

Därefter ökade utvandringen också från andra landsdelar. Av de omkring 4 000 svenskar som registrerades som emigranter 1846–50 kom ca 1 800 från Hälsingland och Gästrikland, därav 382 Alftabor. Detta innebär, konstaterar Kjell Söderberg, att var tionde svensk utvandrare under denna tidsperiod hörde hemma i en enda socken.[2]

Före erikjansarnas utvandring emigrerade få svenskar till Amerika, åren 1820–45 sammanlagt 628 personer. Två mindre grupputvandringar hade ägt rum tidigare. 1841 avseglade Gustaf Unonius tillsammans med sin hustru och tre följeslagare från Gävle till New York och tog sedan upp ett nybygge vid Pine Lake i Wisconsin. Detta fick dock en kort livslängd. Bestående blev däremot den bosättning som Peter Cassel och ett tjugotal andra Kisabor 1845 grundade i Iowa och döpte till New Sweden. Efter bara några få år fanns där omkring 500 invånare. Många svenskättlingar bor också i dag i denna trakt.

Hälsingland, inte Småland, var vid 1800-talets mitt det stora utvandringslandskapet, och Gävle, inte Karlshamn, den viktigaste svenska emigranthamnen. Erikjansarnas flykt inledde den svenska massutvandringen

Förstukvist till Storstugan, Olandersgården, Alfta.

till Nordamerika. I deras spår följde tusentals och åter tusentals norrlänningar, snart också människor från andra landsdelar. Om det "är något som har givit spridning åt amerikalegenden i Sverige, så måste det vara breven från Bishop Hill i Illinois", konstaterar Vilhelm Moberg i *Den okända släkten.*

Från Bishop Hill och de svensksamhällen som snart uppstod i dess närhet flyttade åtskilliga svenskar vidare västerut. Också bland Mobergs småländska pionjärer i Minnesota fanns folk med rötter i Bishop Hill och Hälsingland. Till och med hans Karl Oskar och Kristina var hälsingar (från Hassela). När ett tjugotal erikjansare bestämde sig för att inte fortsätta vidare till Bishop Hill fick Chicago sin första större svenska bosättning. Femtio år senare bodde där omkring 145 000 svenskar och svenskättlingar, fler än i sekelskiftets Göteborg. Ingen enskild person har som Erik Jansson påverkat emigrationen från Sverige till USA dit 1,2 miljoner svenskar utvandrade 1840–1930. Där lever i dag omkring 4,6 miljoner som uppger sig vara svenskättlingar.[3]

Fri resa till Amerika

Alfta var en av de rikaste socknarna i södra Hälsingland. Åkermarken var bördig och linodling en lönsam specialitet. Liksom i andra svenska bygder ökade befolkningen här kraftigt under 1800-talets första hälft. Skogen hade ännu obetydligt värde och avverkning och sågverksrörelse gav inte några arbeten. Hemmanen var stora men möjligheten att dela upp jorden mellan arvingarna beskuren genom en förordning som infördes på 1820-talet. Det medförde att torparna och de egendomslösa blev allt fler. Många av dem kunde aldrig bilda familj och särskilt unga kvinnor fick svårt att upprätthålla ett drägligt liv. Bland dessa rekryterade Erik Jansson många av sina anhängare.

I sin avhandling *Den första massutvandringen* har Kjell Söderberg diskuterat den sociala och ekonomiska bakgrunden hos de erikjansare som emigrerade från Alfta. Det är troligt att några Alftabor kan ha frestats att utvandra, eftersom linskörden slog fel 1845. Förespeglingarna om ett land "som flöt av mjölk och honung" bör också ha påverkat andra än övertygade erikjansare att följa med till Amerika. Särskilt torpare och obesuttna måste ha känt lockelsen, eftersom kostnaderna för överfärden betalades av de medel som inflöt då hemman och annan egendom försåldes. Församlingens gemensamma kassa användes också för att reglera de skulder som flera emigranter hade, uppger Eric Johnson, son till profeten från Biskopskulla och författare till *Svenskarne i Illinois*. Han tillägger:

"Denna godhjertenhet å de uppriktige jansoniternas sida vardt ganska illa missbrukad af ouppriktige personer, de der begagnade sig deraf för att få fri resa till Amerika. Åtskilliga familjer, hvilkas till flera tusen riksdaler uppgående skulder man hade betalt, jemte öfverresan, hade ej förr hunnit den amerikanska stranden innan de öfvergåfvo sällskapet, som ej ens fick tack för den försträckta hjälpen."

Ovansjö kyrkby, Gästrikland, 1875. Olof Krans målade flera svenska motiv med fotografier som förlagor. Denna oljemålning är den äldsta daterade i Krans produktion (s 139).

Många av dem som lämnade Bishop Hill under kolonins första tid hade knappast hört till de mest övertygade erikjansarna i hemlandet. Det är också bland dessa som man möter de häftigaste kritikerna av förhållandena i Bishop Hill och av Erik Janssons person. I ett brev berättar en erikjansare: "Så har det ock tillgått för oss att det är hundratals människor omkring detta land som vi hafwa kostat uppå både kleder och Respengar altifrån Sverige och en del hafwa qvarstannat efter vegen och hit upp och en stor del hafva gått ifrån oss här och alla dessa hafva blifwit wåra största fiender och förföljare för att utsprida de förskräckliga osanningar icke allenast genom bref till vårt fädernesland utan efven her ibland detta landets folk ..."[4]

Bland utvandrarna från Alfta dominerade torpare, soldater och fattigfolk. Bönderna var visserligen också många men de ägde i regel mindre gårdar än de hemmansägare som blev kvar i socknen. Även om ekonomiska motiv påverkade emigrationens omfattning, ligger religiösa motiv och rädsla för förföljelse och våldsdåd bakom de flesta utvandrares beslut att lämna hembygden 1846 och närmast följande år. Därefter blir be-

33

folkningsökning, jordhunger och fattigdom drivkraften till emigrationen.

Också från andra hälsingesocknar än Alfta förekom en betydande utvandring 1846–50. Från Bollnäs gav sig 235 sockenbor i väg, från Söderala ca 150 och från vardera Ovanåker, Jättendal och Färila omkring hundra personer. Bland utvandrarna från Hälsingland och de betydligt färre från Gästrikland fanns ett mindre antal som inte var erikjansare. År 1849 följde t ex 146 personer, de flesta från Hille, prästen Lars Paul Esbjörn till Illinois, där de bosatte sig i Andover inte långt från Bishop Hill. Esbjörns avsikt var att därifrån fortsätta kampen för att återvinna de vilseförda jansoniterna till den sanna lutherska läran.

Hur uppstod drömmen om Amerika? Redan 1840, då den amerikanske pastorn Robert Baird medverkade vid ett stort nykterhetsmöte i Hudiksvall, kan blickar ha riktats mot Förenta Staterna. Det är troligt att Jonas Olsson deltog i detta möte som väckte stor uppmärksamhet. Eventuellt sammanträffade han även med Baird som genom sin verksamhet och sina skrifter väckt ett allt större intresse för Amerika i Sverige sedan sitt första besök i landet 1836. Tio år senare medverkade han i en internationell nykterhetskonferens i Stockholm.[5]

Bairds betydelse för det växande intresset i Sverige för Amerika har skildrats av främst John Norton. Denne svenskättling med rötter i Hille har skrivit flera värdefulla uppsatser om Bishop Hill. Under flera decennier har Norton arbetat för att göra Bishop Hill känt i USA och Sverige. Det är bl a tack vare hans insatser som platsen i dag är en av de mest kända utopiska kolonierna i USA. I Birnbaum´s guidebok *United States*, 1993, är Bishop Hill en av de tolv samhällsbildningar av detta slag som beskrivs.

Bairds besök i Hälsingland 1840 varade i två veckor. På flera platser talade han inför stora åhörarskaror om alkoholens skadeverkningar och kom då också i kontakt med åtskilliga läsare i bygden. I Norrala lär han ha samlat mellan 1 200 och 2 000 lyssnare. Hans tal tolkades av den svenskspråkige engelske metodistpastorn George Scott, vars förkunnelse tidigt påverkade erikjansarna. Med på turnén genom Hälsingland var också Peter Wieselgren och L P Esbjörn som fungerade som sekreterare.

Det var säkerligen inte bara hos Esbjörn och Alftaynglingen Carl Magnus Flack som "amerikafebern" tändes av Bairds framträdanden och de tidningsreferat som inflöt i den lokala pressen. Hans lovprisning av de ännu glest befolkade, bördiga och vidsträckta prärierna i Mississippidalen kan också ha bidragit till att erikjansarna utvandrade till denna del av Illinois. Redan 1832 hade Baird publicerat en utförlig emigrantguide om detta område. Det är möjligt att Olof Olsson eller någon annan ledande erikjansare känt till denna skrift.

Stor betydelse för erikjansarnas beslut att lämna hemlandet hade också Lars Vilhelm Henschen. Han var en hängiven beundrare av Förenta Staternas konstitution och den religionsfrihet som denna garanterade. Henschen hade påverkats av Alexis de Tocquevilles arbete *Om folkväldet i Amerika* som utgavs i svensk översättning 1839–47. Ett avsnitt av denna långa essä, som pläderade för skiljande av kyrka och stat samt för religiös frihet, publicerades i augusti I845 i Norrlands-Posten. Tocquevilles beskrivning av den tolerans mot oliktänkande som rådde i Förenta Staterna måste ha fått Amerika att te sig som det förlovade landet för jansoniterna.

Carl Magnus Flack, född i Alfta 1818, arbetade som handelsbetjänt i Gävle. 1843 bestämde han sig för att utvandra från Gävle tillsammans med fyra kolleger. Han bosatte sig i Chicago. Flacks brev, som cirkulerade mellan hemmen i Alfta och lästes omsorgsfullt, berörde också de religiösa förhållandena i USA och bidrog till den amerikafeber som gick fram genom de bygder där Erik Jansson verkade. Eric Johnson uppger att breven påverkade fadern till att utvandra med sin församling.[6]

Ett land likt himmelriket

Det är oklart när Erik Jansson och hans närmaste medarbetare bestämde sig för att lämna Sverige. Troligen hade emigrationstanken väckts redan 1844 eller i början av följande år. Hösten 1845 sändes Olof Olsson till New York för att undersöka förutsättningarna för utflyttningen och välja ut en lämplig boplats för församlingsmedlemmarna.

I New York, dit Olsson anlände 15 december med sin familj på skeppet *Neptunus* från Gävle, fick han all tänkbar hjälp av den svenske metodistpastorn Olof Hedström.[7] I ett brev daterat New York den 31 december 1845 ger Olsson inblickar i Hedströms verksamhet på det s k Bethelskeppet i New Yorks hamn, där tusentals svenska immigranter vid denna tid kom att tas emot. Olof Hedström sände Olsson till sin bror Jonas som var smed och predikant i Victoria, Illinois, inte långt från den plats som Olof Olsson skulle välja för församlingens räkning.

Olssons intryck av det nya landet är synnerligen positiva: "Det är ett land likt himmelriket. Det rymmer allt sant, gott och fritt. Det är ett land för verksamhet. Ett land där arbetaren får såväl äta sin vetebrödskaka som regenten."

Stärkta av de gynnsamma rapporterna från Olof Olsson, som också hade rekognocerat i Iowa och Minnesota, sålde nu jansoniterna allt vad de ägde med hänvisning till urkristendomens egendomsgemenskap och lämnade medlen till en gemensam kassa. Den förvaltades av "furstarna", de av Erik Jansson utsedda ledarna.[8] I en av sina skrifter, *Några ord till Guds församling,* argumenterar Erik Jansson för en mer fullständig kommunism. Ifall någon lämnade församlingen, skulle han inte ha rätt att återfå de medel som han tillfört kassan eller få ersättning för utfört arbete.

Tragedierna blev många, när dagen för avresan närmade sig. För Erik Janssons skull övergav män sina hustrur, barn sina föräldrar och många kvinnor sina män, ibland till och med sina minderåriga barn. Den 7 oktober 1846 utfärdades t ex ett pass för den trettioåriga bondhustrun Barbro Erson från Alfta i Hälsingland samt hennes nyfödda dotter. "Förvillad av den s. k. Erik Jansiska sektens villfarelse har hon så mycket och länge

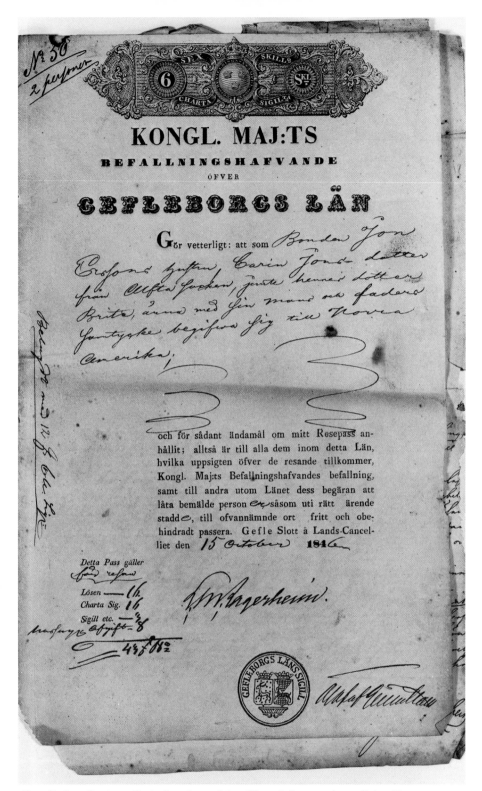

Pass för bondhustrun Carin Jonsdotter från Alfta och hennes dotter Brita. Hon var en av de unga kvinnor som övergav make och familj för att följa Erik Jansson till Amerika.

besvärat mannen med sin enträgna begäran att resa till Amerika, att han anser sig tvingad att därtill lämna sitt samtycke, så ömmande det för honom måste vara."

Tydligast kommer synen på Erik Jansson som den av Gud utkorade fram i ett par brev från några unga kvinnor i kolonin. Skriftens ord, säger en av dem, "gick i fullbordan på Erik Jansson, som Gud haver sänt i Kristi stad att predika och som säger, I skolen icke mena att jag är kommen till att sända frid på jorden, utan svärdet. Ty jag är kommen till att göra mannen skiljaktig mot sin fader och dottern emot sin moder och sonhustrun mot sin svärmoder."

Då jag i slutet av 1960-talet intervjuade några gamla hälsingekvinnor var hatet fortfarande levande mot Erik Jansson för den splittring av många familjer som han åstadkommit. Då de talade om honom var det som om Jansson helt nyligen hade lämnat bygden med sin församling.

Hur var det möjligt för några självlärda bönder i norra Sverige att vid denna tid organisera ett så stort kolonisationsföretag? Det har jag länge frågat

Condor, den båt på vilken Olof Krans kom till Amerika, möter emigrantfartyget Gefle på återväg till Sverige. Oljemålning av Olof Krans, 1910.

mig. Hur kunde de planera transporten av de mer än 1 000 människor som under några månader 1846 skulle färdas över Atlanten mot friheten? Hur lyckades de skaffa båtplats till alla dessa, se till att de fick pass och kom fram till avresehamnarna, ordna husrum i väntan på att skeppen skulle bli klara att avsegla, förse dem med mat för den långa färden? Tyvärr har inga dokument bevarats som berättar om den omsorgsfulla detaljplanering som måste ha gjorts i Tovåsen eller på någon annan plats.

Vi vet emellertid att församlingens ledande män var dugliga, intelligenta och erfarna bönder i sin krafts dagar. Troligen fick de också hjälp av sitt juridiska ombud, rådmannen Henschen i Uppsala, då kontrakt skulle undertecknas och avtal skrivas. Församlingens ekonomi tycks också ha varit god. Bland jansoniterna fanns flera välbärgade bönder. Den rikaste, dalmasen Linjo Gabriel Larsson, sägs ha bidragit med 24 000 riksdaler som han medförde i guldmynt till Amerika i en vackert bemålad kista.

I *En Amerikabok* skildrar Anna Söderblom, ärkebiskopens maka, ett besök i Bishop Hill 1923 där hon besökte en släkting till sin man och till Swan Swanson. (Denne var en av kolonins styresmän och kusin till ärkebiskopens far Jonas Söderblom.) Hon blev då visad kistan och ytterligare ett par skrin som Linjo Gabriel medfört till Bishop Hill. Föremålen ägs fortfarande av ättlingar till dessa erikjansare.[9]

Mer värd än pengar

Bland utvandrarna fanns det gott om yrkeskunnigt folk inom en rad olika hantverk. Befolkningens sammansättning var sådan att det samhälle man planerade från första början kunde vara självförsörjande.

Gjorde man möjligen ett medvetet urval? Försökte Erik Jansson och hans "furstar" få med sig sådana personer som de visste skulle få en avgörande betydelse för kolonins framgång? Det var emellertid inte bara bönder eller skickliga smeder, tunnbindare och svarvare som räknades. "En god qvina eller piga och dräng af wåra är mer wärd än pängar. De arbeta snart af sin skuld för öfwerresan", säger Olof Olsson i sitt brev från New York med instruktioner till emigranterna. Medelåldern bland dem som gav sig iväg var också påfallande låg.

Jag råder alla, skriver Olof Olsson, att endast ta med sig de starkaste och bästa kläder. "Gör pengar af allt wad ni kan. Likwäl will jag att bönderna tager jernstörar med sig till egit behof, icke mer och blott kokkärl som behöfws på sjön förseda med täta lokk ... beräkna lika för Barn och Folk. Ta wäl torrt (bröd), 4 lispund (1 lisp = 8,5 kg) til mans. Dito ett lispund fläsk, 1 1/2 lispund kött."

Han uppmanar dem vidare att medföra rikligt med ärter, smör, vetemjöl och siktmjöl men också risgryn, 1/2 fjärding per person (9 liter), sill, sirap och fikon samt ättika "som vi efterlängta och icke finnes".

Det var stora mängder livsmedel som måste anskaffas, ty resan kunde bli lång. För Olsson och hans familj hade den tagit drygt tre månader, för andra varade den ibland ännu längre. Skeppet *New York* avseglade den

Linjo Gabriel Larsson bidrog med 24 000 riksdaler i guldmynt till erikjansarnas gemensamma kassa. I sina tre dalakistor medförde han också några föremål från hemmet i Malung.

17 oktober 1846 från Gävle och nådde destinationsorten först den 12 mars följande år. För denna resa hade jansoniterna i Gävle inköpt proviant för 549 riksdaler: 6 tunnor ärter, 8 tunnor sill, 176 lispund kaffe, 50 lispund sirap osv. Kosten var enformig och näringsfattig.

I ett brev till församlingen erkänner Jonas Olsson mottagandet av passageraravgifter för en grupp upplänningar och hälsingar som i juli 1846 skall segla med briggen *Charlotta*. Med denna emigrantskara följde utom Jonas Olsson också boktryckaren Forsell som Olsson lyckats värva i Stockholm. På dennes inrådan beslutade man också att ta med församlingens tryckpress som var nödvändig för utbredandet av Erik Janssons lära i det nya landet. I Sverige hade man hunnit trycka Janssons psalmbok och katekes samt några småskrifter, innan lagen slog till mot sektens boktryckare C G Blombergson och dömde honom till böter för att han inte på böckerna utsatt tryckort och utgivningsår.[10]

Vilken förpestad atmosfär

Priset på en Amerikaresa tycks ha varit cirka 100 riksdaler. Några år senare, då emigrationen från Sverige till Bishop Hill på nytt tog fart, behövde man endast betala 70 riksdaler per person och för barn under 12 år 50 riksdaler, medan "jemte mödrar följande dibarn" fick resa kostnadsfritt.

Uppgifterna återfinns i ett kontrakt som gjordes upp i november 1850 mellan jansoniternas ledare och ägaren till barken *Eolus*. Här stipulerades bl a att redaren skulle ombesörja inredning av sovplatser och kabyss samt hålla med ved och vatten under överfarten. Att det bränsle som medfördes ombord inte alltid var tillräckligt, tycks en post i en räkning från kaptenen på gävleskeppet *New York* ge besked om: "3ne nya decksplankor i stället för de 3ne utj Cowes förbrände av Passagerarne."

Den faktiska verkligheten bakom den inredning av sovplatser som kontraktet talar om var sällan särskilt angenäm. Båtarna var små och byggda för att frakta järn och inte folk. Norrlands-Posten 24 juni 1846 skriver:

"Bland de trenne fartyg, som i dessa dagar lämnat Stockholms redd fullastade med läsare, utmärker sig i synnerhet briggen *Charlotta* såsom ett av de ypperstat fartygen i den svenska handelsflottan. Den har intagit last av järn men den huvudsakliga lasten är icke mindre än 150 erikjansoniter för vilkas instuvande man under däcket uppfört tvenne rader så kallade britsar om båda sidorna av skeppsrummet. Britsarnas antal är 30 och uti varje dylik, vid pass 7 fots bredd, hava 5 passagerare sin plats på den halm, som blivit utbredd i sängstället. Man föreställer sig 150 människor inpackade sålunda uti en salong av vid pass 21 alnars längd, 12 alnars bredd och 3 alnars höjd. Vilken förpestad atmosfär skall ej uppstå i dessa kabysser, särdeles när sjösjukans verkningar infunnit sig. För var och en av denna arma hop, som missledd av fanatism underkastar sig detta martyrskap, som en dylik instuvning under flera veckors tid förutsätter, betalas till rederiet 100 riksdaler Banco, således en summa av 15 000 riksdaler för hela den emigrerande hjorden, de små kalvarna oberäknade."

Utvandrarna färdades på ett tiotal skepp som avseglade från Gävle, Söderhamn, Stockholm, Göteborg och Oslo. För varje fartyg hade en färdledare utsetts. Denne hade ansvaret för kolonisternas timliga och andliga väl. För inte så få erikjansare blev resan till Förenta Staterna den sista. Ett fartyg, skonaren *Betty Catharina*, som tog ombord 65 passagerare i Söderhamn den 8 augusti 1846, gick under med man och allt på Atlanten. Bland de omkomna var nämndemannen och kyrkvärden Per Persson-Ljus från Hålsänge by, hans hustru och deras fyra barn. Han var den ende i Enångers socken som så fängslades av Erik Janssons budskap att han lät sälja sitt hemman (för 6 000 riksdaler) och bestämde sig för att utvandra.[11]

Den 19 september förliste briggen *Carolina* utanför Newfoundland, men alla ombordvarande räddades av en fransk fiskebåt.[12] Sammanlagt skall 170 personer ha dukat under av umbäranden och sjukdomar enbart 1846 och även senare skördade sjöfärden många offer, främst bland åldringar och barn: "Jag får i korthet berätta för eder att vår käre son nu fått flykta till en himmelsk värld ... Vi fick begrava honom i en socken som heter Gräsön, för att vi ej hade vind så låg vi där i åtta dygn. Medan vi lågo där så blev han död ... Han var frisk till sista dygnet och var munter och glad, att alla tyckte om honom. När han såg sjömännen draga i tågen så gjorde han så med. Han blev tagen på en gång, men talade till stunden."

I sitt svar på detta brev ger mottagaren, pojkens mormor, uttryck för sin förtvivlan över barnets död, "varför mången smärtans och saknadens tår trillade utföre mina av sorg infallna kinder ... Nu trampar du mitt hjärta så att jag varder med sorg i förtid nedfarande i graven så att jag mången gång får säga som Maria, min dotter och måg vi gjorde ni mig detta. Si jag söker eder natt och dag sörjande."[13]

I flera brev skildras de svåra stormar som de små segelfartygen utsattes för: "Första adventsöndagen törnade vi på bankar i Nordsjön under Antverpen, och tränne gånger så våldsamt, att det brakade, så vi trodde skeppet skulle gå i tusen stycken, och vi sågo hur stora trästycken flöto från fartyget. Alla stodo vi rådlösa, vi föreställde oss ej annat, än att skeppet skulle sjunka, men pumparna sattes i gång och efter en stunds pumpning hade vi henne läns."[14]

Det fanns också grupper som kom över utan större svårigheter, särskilt sedan man börjat resa med ångfartyg som var byggda för passagerartrafik. Silversmeden Erik Troil berättar: "Vi hade en lyckosam resa öfver havet, ingen storm. Godt seglade fartyget, god Capten och ingen av oss var sjösjuk, så at det var en lustresa för oss att resa till America öfver hafvet. Och sedan min hustru kom på sjön, så väl som denna dag hafver hon varit begofvad med mycket bättre hälsa än i Svärige."[15]

I New York togs de olika grupperna emot av erikjansare som såg till att de sändes vidare västerut. Blombergson berättar att han "varit ensam här för att värja våra vänner från alla bedrägerier som äro i svang... Ingen en-

New York, litografi efter teckning från 1846, det år då de flesta erikjansare anlände till New York.

da har gått så fri från för allt bedrägeri, som våra vänner, derföre har jag även här för många varit en stötesten och många skulle vilja röja mig ur vägen. Transportagenterna ansågo att jag fråntagit dem en förtjänst av 12 000 Rdrg."[16]

Med mångahanda tungomål

I det brev som Erik Jansson skrev till församlingen under sin flykt från Hälsingland uppmanar han sina trogna att bedja att han skall bli "given nåd att kunna tala med mångahanda tungomål". Liknande formuleringar återfinns i Janssons "Afskedstal".

Många av de avhoppade erikjansare som angriper Erik Jansson i sina amerikabrev, hävdar att denne före avresan utlovat att alla skulle förstå och tala det främmande språket så snart de stigit i land på Amerikas jord. Att detta under inte skedde var för många ett uppenbart bevis på att mannen från Biskopskulla var en falsk profet och en folkförförare.

Det är möjligt att Jansson, övertygad om sin gudomliga utkorelse, trodde att han själv skulle få språkets gåva. Men för hans närmaste medarbetare stod det från början klart att språkproblemen kunde bli stora. Då Olof Olsson 1845 gav sig i väg till Amerika, var han försedd med ett engelskt lexikon som L V Henschen hade inköpt.[17]

Behovet av tolkar vid ankomsten nämns också i bl a det utförliga brev som Jonas Olsson skrev den 18 juni 1846 från Stockholm: "Då jag ser

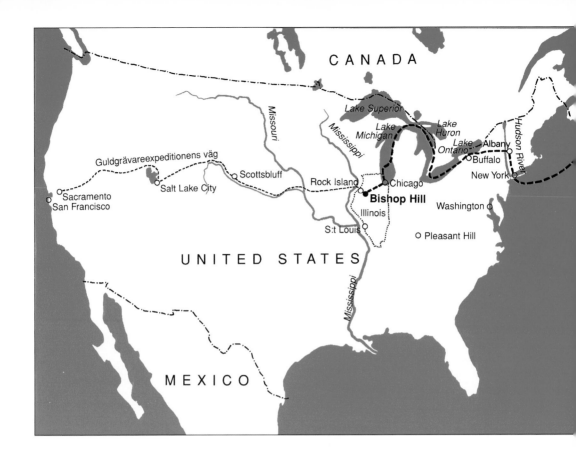

nödvändigheten af att hafva en broder i Sällskap som har förut varit i
America och kan tungomålet, så anser jag oss böra så beräkna passage-
rarna att han med sin hustru utan barn kan få rum."

Välling och dåligt bröd

Den långa resan över havet skördade många offer. Men vedermödorna
var ingalunda slut, när man sedan nådde det efterlängtade landet. Flera
av de båtar som lämnade Sverige 1846 anlände till New York först sedan
Hudson-floden, på vilken färden skulle fortsätta, blivit isbelagd. Under
flera månader tvangs man därför vänta på våren i den snabbt växande
storstaden. I en dagbok skriven av sjömannen Johan Edvard Liljeholm,
som följde en grupp jansoniter till Bishop Hill som tolk, finns en skakan-
de ögonvittnesskildring av invandrarnas tillstånd:

"Dessa s. k. jansoniter ha vistats härstädes sedan förledne december
och voro nu i ganska usel belägenhet, ty resan över sjön hade förorsakat
sjukdomar som bortryckte en mängd, i synnerhet äldre personer, och av
ca 520 som helbrägda lämnade sina trevliga hem i sitt fosterland, lockade
av den lysande beskrivningen över detta förlovade land samt troende

Erik Janssons falska lära, återstod nu ej mer än 400, varav 1/3 voro sjuka. De hade under vintern bott uti s. k. kanalbåtar (en sorts däckade 60 alnar långa, 8 alnar breda och 3 alnar höga farkoster som drages av hästar på kanalerna) och måste uthärda vintern i dessa utan eldning och leva av välling och dåligt bröd."[18]

Förhållandena måste ha varit fruktansvärda, särskilt för dem som reste över med skeppet New York. En av passagerarna, som omedelbart vid ankomsten lämnade församlingen medan hustrun stannade kvar, ger en om möjligt än mer skakande bild av förhållandena än Liljeholm. Brevet trycktes i Sverige och utnyttjades i propagandan mot jansoniterna.

Den anonyme brevskrivaren talar upprört om ledarnas självtillräcklighet och tro på sin gudomliga förmåga, om sjukdomar som "togo överhanden efter den osunda maten och emedan de som kreatur låg hoppackade i osunda rum", samt om den skörbjugg som härjade så att "köttet ruttnade från benen och på en del lossnade lederna från varandra".

När våren kom och isen gått upp på Hudson-floden, kunde den decimerade och hårt prövade skaran fortsätta färden. Den grupp som Liljeholm ledsagade använde fem kanalbåtar, som bogserades av ångbåtar fram till Albany, en sträcka på ca 20 svenska mil. Här började Erie kanal, som betytt så mycket för kolonisationen av den amerikanska Västern. Kanalen var smal och de grundgående båtarna drogs av hästar eller oxar.

För Liljeholm och hans sällskap tog kanalfärden åtta dagar. Från Buffalo fortsatte man med en ångbåt, som tog drygt 1 000 personer, över de stora sjöarna och till Chicago. Här insjuknade flera jansoniter, och många dog "oaktat apostlarna försäkrade dem om sin gudomliga kraft att hela". Om detta berättar Liljeholm i ordalag som man har svårt att sätta tro till:

"En av de ivrigaste jansoniterna hade en längre tid legat sjuk och var

Genom Erie kanal, som öppnades 1825, förkortades restiden mellan Albany och Buffalo med en tredjedel. För erikjansarna var färden knappast så angenäm som på denna samtida bild. Efter oljemålning av E L Henry, Chicago Historical Society.

Kanalen hade 72 slussar som inte tillät bredare fartyg än fyra meter. Båtarna drogs av hästar. Ur E Tunis Frontier Living, 1961.

nu ganska usel oaktat Apostlarnas förnyade försäkringar. En afton inträdde efter en längre predikan till honom Andersson, den s. k. översteprästen, högeligen full av den Helige Ande och efter en kort osammanhängande bön, befallde den sjuke statt upp tag din säng och gå, men den sjuke kunde ej utan hjälp uppstå och då han med någras hjälp blev lyftad ur sängen och upprest på golvet, släppte dessa honom varvid han nedföll avsvimmad och dog strax därefter."

Sedan man inköpt hästar och vagnar, proviant och nödvändig utrustning fortsatte ca 400 personer till fots och i vagn mot sitt mål, Bishop Hill i Henry County, Illinois. Efter elva dagsresor stod den uttröttade skaran framför den man, som förmått dem att bryta upp från hembygden och företaga denna färd över hav och obruten prärie fram till Nya Jerusalem.

"Erik Jansson mottog dem i egen hög person och sedan släktingar och vänner välkomnat varandra fortsattes tåget till kyrkan; så kallas en avröjd plats i skogen försedd med en upphöjd plan i mitten, varest Erik Jansson nu uppsteg och höll ett tal varav hela församlingen rördes."

Erikjansarnas stad

En septemberdag i Chicago 1846 står en tidningsreporter vid sitt fönster och betraktar en grupp på ett sextiotal personer, män, kvinnor och barn, som slagit sig ned utanför det hus där han bor. De är svenskar, "från Provinsen Dalarne" får han veta och deras ledare heter Erik Jansson, "en klok och energisk bonde, som njuter ett oinskränkt förtroende af hela sällskapet".

Gruppens tolk "en Svensk Gentleman, en f.d. Officer i Svenska Armén", som inte tillhörde sekten, berättar att svenskarna hade förföljts i hemlandet och blivit misshandlade av sina antagonister så att "väggar och tak vore fuktade af deras blod". Det får skribenten att upprörd utbrista: "I ett kristet land, i nittonde århundradet."

De skiljer sig märkbart från andra emigranter som han tidigare mött: "Dessa Dalkarlar hade ett utseende, som jag annars aldrig funnit bland de europeiska emigrant-massorna, hvilka passerat igenom denna stad, under den tid jag bott här. Det var ett uttryck av förstånd, tålamod och undergifvenhet hos alla, med undantag af de små barnen. De voro icke nedtryckta af svaghet och bekymmer, såsom de Franska och Italienska emigranterne, ej heller tröga och dumma som de nyligen anlände Tyska, eller vilda och häftiga som många af de Irländska; de gingo med upprätt och god hållning, blickande omkring sig hoppfullt och nöjt, fast ganska allvarsamt."

Skildringen återfinns i ett brev till The Harbinger, en tidskrift som gavs ut i den utopiska kolonin Brook Farm i West Roxbury inte långt från Boston som jag besökte 1994 (s 159). Berättelsen översattes och publicerades i tidningen Najaden i Karlskrona 14/11 1846.

Under en glödande sol

Det var 37 grader i skuggan då dalfolket var färdiga att bryta upp för att starta sin mödosamma vandring "under en glödande sol". Det gjorde mig ont att se, noterar tidskriftens korrespondent, att nästan alla gick till fots, utom de svagaste kvinnorna och de minsta barnen som fick rida.

Det tog svenskarna ett par veckor att vandra den ca 250 kilometer långa vägen till den plats som Olof Olsson året innan valt som boplats åt "Guds folk". Över den vidsträckta prärien höjde sig den kulle där de skulle bygga sin stad. Trakten var till största delen ännu obebyggd. Inga vägar ledde dit och ingen flod förband platsen med något större samhälle. Ännu 1853 då baptistpastorn Anders Wiberg besökte Bishop Hill kunde det vara svårt att hitta dit: "Vägen går till det mesta öfver skoglösa, än

Chicago River omkring 1850.

jemna, än vågformiga prairier. Vi hade svårt att finna vägen till denna vidtberyktade koloni, och foro en lång stund alldeles utan väg på det öppna fältet. Det är här icke ovanligt att fara vilse på prairierna hvarföre främlingen rätteligen borde såsom på hafvet leda sig fram efter kompass ... Man föreställer sig en ändlös sträcka af odlade fasta gräsvallar, glittrande af den rikaste mångfald vackra blommor, hvilka oftast för ögat begränsas endast af horisonten."[1]

Erik Jansson, hans familj och ytterligare några trogna fanns redan på plats när dalfolket anlände. Några tält var uppresta och de första enkla bostäderna stod under tak. De nyanlända sattes snart i arbete. Hösten närmade sig och husrum skulle ställas i ordning till hundratals väntade erikjansare.

En av de gamla kolonister som i början av 1900-talet intervjuades av Philip Stoneberg var Eric Aline. Efter ankomsten till Chicago köpte den grupp som han tillhörde hästar och vagnar för den sista etappen. Barn, gamla och sjuka fick åka, medan Aline och ytterligare 27 ungdomar började sin vandring över prärien. Men vagnarna var så tungt lastade att några män måste vända tillbaka till staden för att köpa fler åkdon och ytterligare ett par dragdjur. Det "blev svårt för oss att skaffa mat, då vi voro så många", skriver Aline. "Så vi delade upp oss igen. Denna gång 14 i varje grupp, och då gick det bättre att få mat."

En av de grupper med erikjansare som var på väg till Bishop Hill hade glömt att förse sig med vagnssmörja. Vagnarna gnisslade och gnällde förfärligt. Men då kom en av pojkarna på att man kanske kunde slå ihjäl ormar med en snärt av oxpiskan och linda runt axlarna. Och det hjälpte. Pojkarna var så skickliga i att hantera piskan att "dom kunde klippa av skallen på en orm närapå varje gång".[2]

Då Aline och hans kamrater Anders Stenberg, Jonas Lindblom och elva unga kvinnor anlände till Bishop Hill i oktober 1846, hade man hunnit få upp "stockhus och några tält samt ett kyrktält". Timmerhusen, sammanlagt tre, hade flyttats från Red Oak, den först inköpta egendomen några kilometer från den plats där de anlade sin stad. Dessutom fanns en köksbyggnad, så småningom tre, där maten lagades och folket åt. De var uppförda av torv och träslanor.[3]

Prärielandskap vid Bishop Hill.

Bishop Hill. 1846.

Bishop Hill 1846. Oljemålning av Olof Krans (s 124).

Kyrkan var rest i form av ett kors. Enligt Eric Johnson, profetens son, spändes ett tak av segelduk från en timrad mittvägg mot sidornas stockväggar; segelduken ersattes senare av ekspån. Predikstolen stod i kyrktältets norra sida och på sydsidan fanns en läktare och en större eldstad. Gudstjänst hölls varje morgon och kväll på vardagarna och tre gånger på söndagen. Johnson anser att det fanns plats för 800 till 1 000 personer i kyrkan. En av kolonisterna uppger 300, vilket verkar troligare. På sommaren blev det så varmt därinne att gudstjänsterna måste hållas utomhus.[4] Eftersom det länge var ont om bostäder, fick en del kolonister husrum i korsarmarna där vuxenundervisning pågick i skrivning, läsning och engelska språket.

Tolv jordkulor den första vintern

Nya erikjansare anlände snart. De flesta inkvarterades i jordkulor som grävdes in i slänten av en ravin. "Jag tänker att det var omkring tolv jordkulor den första vintern: Prästkulan, Janssons. Hollanders, Källmans, de övriga minns jag ej namnen på", skriver Aline. När vintern kom, hade sammanlagt 400 erikjansare anlänt. Omkring 330 personer placerades i Bishop Hill. Av dessa överlevde bara drygt 200 till våren. Att så många dukade under den första vintern kan till en del skyllas på de bristfälliga bostäderna, där ett trettiotal människor måste samsas på en yta av 6 x 10 meter. Den egentliga orsaken var dock snarare den dåliga kondition som många kolonister befann sig i efter den påfrestande resan från hembygden till Bishop Hill. De var mottagliga för febrar och infektioner.

Många drabbades av malaria som var vanlig i denna till större delen ännu ouppodlade och fuktiga trakt.[5] "Han hade nog frossan i kroppen som då var gängse", säger Eric Aline om Olof Olsson som kanske var den i församlingen som mest ivrade för emigrationen, men som inte fick leva länge i sitt Nya Jerusalem. Om inte vintern varit ovanligt mild och marken frusen endast åtta veckor, hade troligen ännu fler offer skördats.

Några av de kolonister som berättat om de första hårda åren klagar över förhållandena: "Jordkulor utgjorde de förnämsta boningsrummen, men det var ej många nog av dem, med sängar uppå varandra på båda sidor på längden. Från 30 till 40 personer mången gång fingo trängas in, allenast en smal gång var på mitten, att gå och stå på. Att kläda av och på kunde icke alla göra på en och samma gång, för där till var ej rum."[6]

Eric Aline tycks däremot ha funnit sig väl tillrätta: "Jag bodde i kulor tvenne vintrar och där mådde jag gott." En annan kolonist som svarade på Stonebergs frågor var O Frenell: "Kulorna var varma. Man kan inte påstå att de var ohälsosamma. Folket försökte hålla rent i dem, men till slut började det ruttna." En jansonit, bosatt i Chicago, som besökte Bishop Hill 1847 fann dem också vara "för ändamålet ganska bekväma".[7]

I Red Oak var förhållandena betydligt värre. Det bostadshus som fanns där, när egendomen förvärvades, var så litet att inte alla av de sjuttiotal

Den första vintern i Bishop Hill skördade många offer. Monument i Red Oak.
Oljemålning av Olof Krans.

personer som hänvisades dit kunde vistas inomhus samtidigt. På en min-
nessten som restes på platsen 1882 står denna inskrift: "Här omkring vi-
lar 50 medlemmar av Bishop Hills Colony som dogo 1846–47."

Monumentet är avbildat av Olof Krans (ovan). En annan av hans mål-
ningar visar hur bebyggelsen i Bishop Hill kan ha tett sig under de första
åren. På båda sidor av den ravin som löper genom kullen ser man bostä-
der som delvis grävts in i slänten (s 50–51, 124). När Olof som barn kom
till Bishop Hill 1850 fanns bara någon jordkula kvar.

I en artikel i Aftonbladet 7 september 1853 skildrar prästen och bap-
tistpastorn Anders Wiberg ett besök i Bishop Hill. Han omnämner en
jordkula som var "byggt på det sätt, att 3:ne av hyddans timmerväggar
skyddades av en brant jordvall, uti vilken man hade ingrävt sig ... Detta
kvarlämnade blockhus tjänte nu till linberedningsrum och lämnade myck-
et bättre skydd, än de vanliga blockhusen."[8]

I ett brev till Philip Stoneberg har L G Lindbeck lämnat uppgifter om
den första bebyggelsen i Bishop Hill. Lindbeck hade i början av decem-
ber 1846 avseglat från Göteborg och "rullade på vilda havet 13 wickor",
innan skeppet den 13 mars 1847 kom fram till New York. Han uppger att
den grupp om 400 erikjansare som han tillhörde lämnade Chicago den 8

juni. Enligt Liljeholm som troligen ledde dessa människor gav man sig i väg en vecka senare.

I Bishop Hill fanns då 28 jordkulor, fem på vardera sidan om ravinen och tio väster om den plats där man ett år senare började uppföra kolonins största byggnad, Big Brick. En jordkula användes som sjukhus, en annan som skola, en tredje fungerade som bageri. En kallades "prästkulan", eftersom Erik Jansson bodde där. Det fanns också en "Söderala-kula", en "Bollnäs-kula", en "Delsbo-kula" och ovanför dessa "flickstugan", ett timmerhus där ett trettiotal unga kvinnor bodde.

Då den grupp som Liljeholm ledde efter en lång och mödosam vandring i sommarvärmen anlände till Bishop Hill, påbjöd Erik Jansson en "allmän fasta för att, som han sade, pröva och rena församlingen". Den rätta orsaken var emellertid, skriver Liljeholm, "att tillräckligt proviant ej fanns på stället, ity han var ej nog räknemästare för att calculera att 700 förtärde mera än 300, varför han ej anskaffat proviant nog oaktat han var väl underrättad om vår ankomst; han hoppades alltjämt att manna skulle regna neder från himlen och han bad därom dagligen Gud, men han bad förgäves ty underverkens tid är förbi".

Enligt Lindbeck räckte fastan fyra dygn, vilket ytterligare måste ha nedsatt krafterna hos den av umbäranden uttröttade skaran. Även vid några andra tillfällen då det var ont om mat påbjöds fasta i kolonin.

Ett af vilddjuren i uppenbarelseboken

Om förhållandena i kolonin fick de som i Sverige med intresse följde jansoniternas vidare öden sällan några pålitliga uppgifter. Kolonisternas brev var som regel hållna i ljusa färger, medan deras antagonister sökte framställa livet i Bishop Hill i en så mörk dager som möjligt och utmålade platsen som ett helvete på jorden. Flera av de negativa skildringarna publicerades i svensk press.

Skomakare Falkens Per Jonsson från Långhed kom över med *Vilhelmina* 1846 och bosatte sig senare i Victoria, inte långt från Bishop Hill. Härifrån skrev han ett kritiskt brev till släktingar i hemlandet. I Victoria bodde metodistpastorn Jonas Hedström som hade väglett Olof Olsson till den plats där kolonin anlades och hjälpt till, då erikjansarna köpte mark i trakten. Han blev senare en av deras häftigaste kritiker och Erik Janssons konkurrent om själarna. "Det förlupna dårhushjonet", som han kallar Erik Jansson, "har visserligen tillskansat sig någon menighet till anhang men allenast av dem, som stå på samhällslivets lägsta trappsteg – i anseende till okunnighet och all sorts rådande mörker uti förståndet."[9]

De flesta av de dugliga och erfarna bönder som redan i Sverige framstått som jansoniteras ledare och organiserat utvandringen stannade i själva verket kvar i Bishop Hill till kolonins upplösning. Lättare var det för Hedström att vinna anhängare bland dem som inte var lika fasta i tron. Många av de mellan 200 och 300 kolonister som lämnade Bishop Hill de första åren inspirerades därtill av Hedström.

*En av de pamfletter som gavs ut i Sverige i kampen
mot erikjansarna.*

Per Jonssons brev trycktes 1847 i Gävle under titeln "Tillståndet hos de
till Amerika utwandrande Erik-Jansarne samt Profetens bedrägerier, skil-
drade i bref från en utvandrare". Här heter det bl a:

"Vår store lärare och av sina förvillade anhängare tillbedde Erik Jans-
son haver jag lämnat för alltid. Han är numera min svurne fiende och nå-
got över hundra personer hava vaknat ur sina svåra drömmar, som vi
kämpade uti under hans förvillade lära. Något nära tvåhundra och femtio
hava dött av missbehandling och vanskötsel, och mycket över ett hun-
drade personer blevo döda på sjön och begravna bland vågorna i den
bottenlösa oceanens stora grav. Många av hans församling ligga sjuka
utan vård och tillsyn. Jag var ofta ett ögonvittne till huru mina landsmän
blevo begravna såsom oskäliga djur. De lassades på en vagn så många
där kunde vara, alla utan anständig svepning och utan kista, och en man
körde åt skogen med dem, där de nedkastades som döda missgärnings-
män. När någon blev sjuk eller vanmäktig under arbetet fick han inte gå
och lägga sig och om han gjorde det vart han förbannad. Men då någon
gammal och för kolonin besvärlig person inte dog enligt den givna pro-
fetian, så vart han förbannad."

I ett annat brev från Victoria sägs: "Och här hafwa wi en svensk prest.

Och här äro wi hundra swenskar, som ha gått ifrån denna mördaren."[10] Den 18 februari 1848 skriver en hälsing, vilken övergetts av sin hustru som återvänt till Bishop Hill, från Victoria: "Allt vad Erik Jansson säger skall tros och göras. Han växer så hög som Nebudkadneser drömde." Många har gått ifrån honom eller dött, "vartill har mycket bidragit Erik Janssons och hans apostlars misshushållning med folket. När de dogo fingo somliga likkistor men somliga fingo inga utan stjelptes ner i en grop som självdöda kreatur. Nu är det väl något bättre, men även nu få de ingen jordfästning och föras ut om nätterna som självspillingar."[11]

Brevskrivaren uppger att han redan vid ankomsten till New York underrättats om eländet i Bishop Hill och avråtts från att resa dit. Bakom svartmålningen ligger troligen Olof Hedström. Liknande uppgifter återfinns i ett brev till Delsbo av den 19 november 1847 från en i Victoria bosatt utvandrare: "Den 25 augusti kommo vi till Nevyork och der fingo vi veta huru Eric Janssons afgudiska villolära hafver blifvit uppenbar här i Amerika så att min Hustru och mina Barn blifvit räddade ifrån att komma till honom." Här i Victoria "bor en svensk präst som heter Pastor Hedström och han prädikar ett rent Evangelium".[12]

Det amerikanska folket skildras som ett "mycket kärleksfullt Folk". De håller Jansson för "en mördare till både Kropp och själ så att de gerna ville ta lifvet af honom som vi tror att det blifver. Ty han har sin bestämda tid som han skall regera på denna jord ..." Han är "ett af vildjuren som beskrives i uppenbareseboken. Det tror Jag wist".

"Nu regerar Erick Jansson och Jon Olsson från Söderala blått med verlden och det verlden tillhörer. De predikar för folket en och 2 gånger om dagen men deras predikningar är blott ett straffande och dömmande till hälvetets eviga eldspina", uppger en annan hälsing som lämnat församlingen och livet i jordkulorna, där det "stank af en mängd med folk samlat, ormar och möss rasade under heta såmmaren ..."

Han säger sig inte kunna uppräkna de "hundratals särskilda laster som där utöfvas" och påstår till och med att Erik Jansson befaller "sina apåstlar både att röfva och mörda och äfven att svärja orätt ed".[13]

Rapporter med liknande innehåll sändes till Sverige också sedan de materiella förhållandena förbättrats i slutet av 1840-talet liksom under kolonins blomstringsperiod några år senare. En medveten kampanj bedrevs mot erikjansarna för att förhindra att nya utvandrare anslöt sig dem. Bakom denna hets låg inte bara Johan Hedström utan också svenska präster som Lars Paul Esbjörn och Gustaf Unonius. Sedan Unonius lämnat sitt nybygge i Wisconsin var han verksam i Chicago. Där hjälpte han många av de tusentals svenskar som anlände med ångbåt från Buffalo samt varnade dem också för att resa till Bishop Hill. I ett brev berättas att några från kolonin utsända män hade sökt upp Jenny Lind 1851 med begäran om ekonomisk hjälp. "Men då var den förr nämnde Unonius där och talade så mycket han kunde emot oss. Unonius var då orsaken till att varken han eller vi fick nytta av hennes frikostighet".[14]

Esbjörn utvandrade 1849 från Gävle tillsammans med sin familj och ytterligare omkring 140 personer. Han stod i kontakt med bröderna Hed-ström och sökte sig genom deras förmedling till en plats så nära Bishop Hill som möjligt, Andover. Därifrån arbetade han för vinna tillbaka erik-jansarna till den lutherska kyrkan. Tack vare en gåva på 1 500 dollar från Jenny Lind kunde han bygga ett kapell i Andover, "Jenny Lind Chapel". 1860 grundade Esbjörn den svenska lutherska kyrkan i Amerika, Augusta-nasynoden. Femton år senare flyttades dess utbildningsanstalt Augustana College från Chicago till Rock Island vid Mississippi, ett femtiotal kilome-ter från Bishop Hill.[15]

Allt är lögn

Det är svårt att bilda sig en klar uppfattning om förhållandena i Bishop Hill under de första åren. Den nidbild som tecknas i flera brev stämmer inte särskilt väl med rapporter från Bishop Hill eller med Stonebergs in-tervjuer. I ett brev från Bishop Hill 24 februari 1851 berör Erik Troil förta-let mot erikjansarna: "Nu hafver vi varit i tillfälle under hela denna tid, at undersöka det ena med det andra ibland Jansarne eller denna församling, som så många onda rykten hördes af i Sverige.

Men nu kan vi säga eder sanning att allt är lögn. Vi hafver nu träffat modern till allt deta som är Modin med flere. Och äfven sagt dem hvad de hafver skrivit och somliga sätter nu skulden på varandra ... och Modin med flera helt och hållit förnekar sina bref ..."[16]

Att villkoren var hårda och att många dog under denna tid, vill dock ingen av dem som stannade kvar i kolonin fördölja. "Nog voro vi fattiga i början", säger Eric Aline, som berättar att en av hans första uppgifter var att gräva gravar i Red Oak.

Skräckskildringarna motsägs också av ett innehållsrikt brev som den i Chicago avhoppade tidigare jansoniten Anders Larsson skrev efter ett be-sök i Bishop Hill. Det är daterat 9 juli 1847, ett år efter den första emi-grantgruppens ankomst. Larsson är mycket kritisk mot Erik Jansson som religiös ledare men kan inte låta bli att ge uttryck för sin beundran över vad gemenskapen under hans ledning på kort tid förmått uträtta. Han prisar det vackra och välplanerade samhället (s 9) och den rika tillgången i trakten på bär, frukter och nyttiga örter samt fortsätter:

"Ett stort hus har de uppsatt, vilket till det mesta är byggt och klätt med valnötsbräder. En ström går där förbi, uti vilken de uppbyggt en mjölk-kvarn och de sade, att de skulle bygga en till. Tvenne sågverk har de in-köpt, varutav det sista kostar 1 500 dollar emot billiga betalningsvillkor. Dessa behöver de väl till husbehov, men om de vill såga till andra, kan de med de sistnämnda förtjäna 10 à 15 dollar om dagen. Med mjölkvar-nen är det ännu större fördel, emedan ingen sådan finnes på 30 miles och dessutom mycket hög tull. Tegelbruksinrättningar har de flera, gar-veri har de anlagt och verkstäder av nästan alla de slag. Kring åkergården har de byggt en jordvall 4 1/2 miles lång och trädplanteringen fortfar nu däromkring. Alldeles otroligt med arbete är nedlagt på denna korta tid."[17]

Den gamla kvarnen. Oljemålning av Olof Krans.

En av de första artiklarna om Bishop Hill i amerikansk press publicerades i tidningen Aurora Beacon 28 juli 1847. Den är skriven av en amerikan som strax innan besökt kolonin. Efter några rader om orsakerna till erikjansarnas utvandring från Sverige skildrar han platsen:

"Deras stad är belägen i en liten skogsdunge kallad ´Hoop-Pole´ ... I deras lilla samhälle arbetar flitigt snickare, smeder, hjulmakare, skräddare, bryggare, bagare, garvare, mjölnare och jordbrukare ... I deras skola, där det finns gott om böcker, studerar en klass unga män teologi under ledning av pastor R. Talbot, tidigare vid Iowa universitet ... Dessa människor äger allting gemensamt och alla arbetar för deras gemensamma bästa. Deras hus ligger delvis under jorden, delvis ovanför ... De är alla invändigt panelade och prydligare bostäder har jag aldrig tidigare sett på Illinois prärie. Utrymmet mellan bostäderna är välhållet och kan i renhet tävla med vilken gata som helst i världen."[18]

Hus av lera och gräs

Endast 15 procent av arealen i den bygd, Henry County, där nybyggarna slog sig ned var skogbeväxt och kolonins egen skogsmark alltför liten för att bostäder skulle kunna byggas av timmer. "Jag minns", skriver Eric Aline, ett par "hus av lera och gräs". Av en granne, Philip Mauk, hade svenskarna emellertid fått lära sig att tillverka soltorkat tegel till de byggnader som efter en tid ersatte de primitiva torvhusen. För att stärka teglet skulle kalk blandas i leran och kalksten fanns det i ravinen. Men den mesta kalken köpte man från en man i Victoria, uppger L G Lindbeck.

Husen kläddes på amerikanskt vis med liggande panel. Fyra män sågade dag och natt för att få virke till allt som skulle byggas för hand eller vid en hästdriven såg i Red Oak. Senare anlade kolonisterna en vattensåg vid Edwardsån. Där låg också två mjölkvarnar som byggdes under ledning av Lars Söderquist, en av de många skickliga hantverkare som tillhörde kolonin. Den första tiden måste man mala majsmjölet för hand, i regel ett kvinnogöra, eller färdas ett femtiotal kilometer till närmaste kvarn, vilket tog minst två dagar. Vid en större handkvarn satt två män mitt emot varandra och drog runt stenen i var sitt handtag.

Eftersom vattenföringen var dålig och kraften tillräcklig bara 3–4 månader, måste kvarnarna ofta hållas i gång av unga män som trampade vattenhjulet, en uppgift som åvilade de tolv ynglingar som undervisades i bibelkunskap och församlingens trosåskådning. Snart uppfördes därför en väderkvarn under ledning av P O Brundin. 1849 började man bygga en stor ångkvarn med två stenar. För dess konstruktion anlitades två experter, "Starr and Bell" från Rock Island.[19]

Kvarnen kördes i gång den 10 juli 1851, en stor händelse i kolonins liv. Omkring 100 tunnor maldes där om dagen. Från kvarnrörelsen fick samfundet betydande inkomster, eftersom många farmare kom långväga ifrån för att få sin säd mald i Bishop Hill. Av ekonomiska skäl inrättades

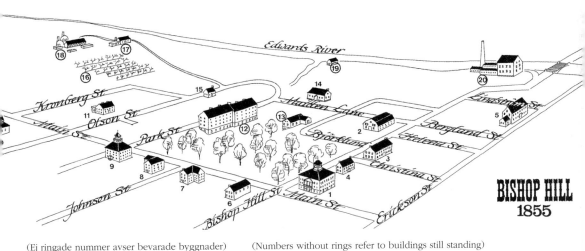

BISHOP HILL
1855

(Ej ringade nummer avser bevarade byggnader)   (Numbers without rings refer to buildings still standing)

1. Tornbyggningen	11. Sjukhus	1. Steeple building	11. Colony hospital
2. Kyrka	12. Storbyggningen	2. Colony church	12. Big brick (also site of dug-outs)
3. Smedja	13. Bageri och bryggeri	3. Blacksmith's shop	13. Colony bakery and brewery
4. Vagnmakeri	14. Köttbod	4. Carriage and wagon shop	14. Meat storage building
5. Mejeri	15. Erik Janssons bostad	5. Dairy building	15. Erik Jansson's home
6. Affär och post	16. Fruktträdgård	6. Colony store and post office	16. Orchard
7. Bostadshus	17. Garveri	7. Colony residence	17. Tannery
8. Bostadshus	18. Tegelugnar	8. Colony residence	18. Brick kilns
9. Hotell	19. Vattenkvarn	9. Colony hotel	19. First mill (water)
10. Skola	20. Ångkvarn	10. Colony school	20. Second mill (steam)

Ångkvarnen, i bakgrunden kolonikyrkan. Detalj av Bishop Hill 1855. Oljemålning av Olof Krans, 1895 (s 147).

också ett destilleri i ångkvarnen, vilket noterades av flera kritiska landsmän: "Jag vill fråga om dessa äro Guds folk men de säja, att vad de gör sker till Guds ära."[20] Brännvin har "i sednare tid fallit Jansenisterna på läppen, och de påstå att om de får sig en sup, så kommer Guds anda öfwer dem i större mått. och de får strax lättare att prophetera". Destilleriet var konstruerat för en daglig produktion av cirka 700 liter alkohol.

Omedelbart efter ankomsten sattes Lindbeck i arbete som hantlangare till Nils Hellbom som hade huvudansvaret, när ett bostadshus med två rum byggdes för Erik Jansson och hans familj. I dess väggar använde man för första gången soltorkat tegel. Senare uppfördes den så kallade "Rödbyggningen" för kolonins ledare. I en tillbyggnad inrättades ett par hotellrum. Rödbyggningen är ett av de två trähus från 1847 som nu finns kvar i Bishop Hill. I det andra som ligger nära kyrkan hade pojkar och ogifta män sin bostad.

"Råtegelhusen", de av soltorkat tegel uppförda byggnaderna, är sedan länge rivna. Enligt Lindbeck fanns ett boningshus i en och en halv våning som mätte 5 x 15 meter och tre köksbyggnader om vardera 6 x 25. I varje matsal stod fyra bord. I vindsvåningarna arbetade flera kvinnor med att spinna och väva. Dessa hus kom senare att användas som sovstugor.

Kolonisterna var indelade i grupper efter sina hemorter. Folk från Uppland, Forsa och Söderala använde det östra köket, de från Alfta, Ovanåker och övriga hälsingesocknar det mellersta och dalfolk det västra. På liknande sätt var arbetskraften fördelad inom kolonin. Utvandrare från samma bygder bildade ofta ett arbetslag eller var avdelade för en speciell uppgift. De som kände varandra hade lättare att arbeta tillsammans och förstå varandra, ett arv från bygemenskapen i hemlandet. När kolonin upplöstes, valde ofta människor från en och samma trakt att bosätta sig tillsammans på en ny ort. Flera erikjansare från Dalarna slog sig t ex ned i Kansas där de anlade nybygget Falun.[21]

1847 byggdes också en snickarverkstad och ett större hus som användes som skrädderi och skomakeri. Strax intill hade silversmeden Erik Troil sin verkstad sedan han 1850 anslutit sig till kolonin. De har, heter det i ett brev från 1849 som utgavs som pamflett i Sverige, "övergivit sina jordkulor och bo uti stora 2 våningshus liknande kaserner, byggda på amerikanskt sätt på upprest korsvirke med tunnbrädsribbor. Uti dessa hus ha alla familjer var sina rum, liknande cellfängelser, och på det att de skulle desto vissare igenfinna sina bås, ha de numrerat dörrarna."

Han evigt är förbanna´

1848 brann tältkyrkan upp, sedan glöd från en piprökande kolonist, Jonas Elblom, satt eld på en hög agnar från linberedningen. Det blåste hårt och elden spred sig till timmerhusen strax intill och därifrån till kyrkan. Under en tid höll man därefter gudstjänst utomhus i "Anderson Grove".

Denna lund var uppkallad efter en av de kolonister som formellt hade inköpt marken. Först 1853 inregistrerades "Bishop Hill Colony" som juridisk person. Fram till dess måste all jord köpas i enskild medlems namn, vilket ledde till stridigheter om äganderätten, ifall denne senare ville lämna kolonin.

Det bestämdes omedelbart att en ny kyrka skulle byggas. I denna användes nu bränt tegel för första gången, till källarvåningens väggar, men obränt till innerväggarna i de två övre våningarna. Timmer till bygget avverkades i Red Oak och finare virke hämtades från Peru vid Illinois River, ca 80 kilometer nordost om Bishop Hill. Lindbeck deltog i byggnadsarbetet tillsammans med ytterligare några män och "Tovåsmor", en av de tre kvinnor som en tid ingick i murarlaget. Hon hade utvandrat 1846 med sin man Erik Andersson och deras barn från Tovåsens nybygge i Hälsingland.

I källaren och den nedre våningen fanns vardera tio rum. I vart och ett av dessa bodde upp till fem familjer som nu kunde lämna jordkulorna.[22] Ett källarrum nyttjades under de första åren för osttillverkning. Intill kyrksalen var kolonins skrädderi inrymt tills man hunnit uppföra särskilda verkstadsbyggnader.

Sedan också "skolkulan" övergivits användes ett par rum som skolsalar. Där undervisades i "engelska språket och övriga elementarämnen av

Kolonikyrkan, en av Bishop Hills äldsta byggnader, uppförd 1848.

Erik Janssons änka, vilken, såsom förut änka efter en amerikansk gentleman, icke saknar bildning".[23] Hon hette Anna Sophia Pollock, var född i Göteborg och gift i New York då hon 1846 mötte Erik Jansson. Hon blev så fängslad av hans personlighet och förkunnelse att hon beslöt sig för att följa honom till Bishop Hill och fick med sig maken som var lärare. Sedan denne dött strax efter ankomsten gifte hon sig med Lars Gabrielsson från Malung och efter dennes bortgång under koleraepidemin 1849 med Erik Jansson, vars hustru också dukade under för farsoten.

Till skillnad från senare svenska immigranter, som länge behöll svensk tradition och svenskt språk, strävade jansoniterna efter att så snabbt som möjligt bli amerikaner. De ville glömma det hemland som förföljt dem och börja en helt ny tillvaro i Förenta staterna. De var medvetna om att församlingens utveckling och erikjansismens vidare utbredning i det nya landet var beroende av medlemmarnas kunskaper. Redan efter ett halvt år predikade Erik Jansson första gången på engelska. Protokoll från de sammanträden som hölls i kyrksalen med församlingens medlemmar var tidigt skrivna på både svenska och engelska.

Högst upp i kyrkan under ett valmat tak låg den stora gudstjänstlokalen med altarring, bänkkvarter, piporgel och läktare. Från taket hängde stora ljuskronor i gjutjärn och trä som liknade hemlandets. I kyrkans arkitektoniska form finns däremot ingenting som erinrar om svensk byggnadstradition, möjligen något om shakersektens möteshus. Erikjansarna anpassade sig snabbt till de stilideal och den byggnadstradition som rådde i deras nya hemland.

I kyrksalen hölls gudstjänst två gånger om dagen och dit kallades befolkningen av den klocka som i dag sitter på den gamla koloniskolan. Männen satt i ett bänkkvarter till höger och kvinnorna till vänster. Man lyssnade till Erik Janssons förkunnelse och hans straffdomar över alla dem som inte trodde på honom och hindrade hans läras spridning. Också i Amerika framställde han sig som den av Gud utkorade och i de sånger som församlingen sjöng fanns samma trosvissa budskap:

Den denna psalm försmädar
och honom något hädar,
han smädar Herren god;
och hörer ej den herden,
som nu är sänd i verlden,
helt ren af Jesu blod
Ty den han sändt i verlden,
han är den rätte herden;
och den ej honom tror,
han evigt är förbanna´,
ock mer ej tror det sanna
ljus, som i honom bor.

Efter Erik Janssons död övertogs predikoämbetet av de män som redan i hemlandet stått honom närmast, framför allt Jonas Olsson. Gudstjänster

Kyrkan i Bishop Hill. Ur P Waldenströms Genom Norra Amerikas Förenta Stater, 1890.

hölls i kyrkan kontinuerligt fram till 1911. I samband med att Bishop Hill firade sitt 100-årsjubileum 1946, övertog staten Illinois kolonikyrkan och lät på 60-talet restaurera den samt avlägsna senare tillbyggnader. Då fick kyrkan också tillbaka den utvändiga trappa som hade lett upp till kyrksalen.

Under många år var Olof Krans målningar utställda i bottenvåningen. Nu visas där möbler, jordbruksredskap och andra föremål från pionjärtiden. I ett av rummen har en del av väggpanelen tagits bort, så att man kan se det soltorkade tegel som innerväggarna är murade av.

En av de längsta byggnader man får se

Innan svenskarna slog sig ned i Henry County var trakten glest bebodd. Befolkningen uppgick 1840 till bara 1 260 personer. Tio år senare hade den ökat till 3 807. I Bishop Hill bodde då 250 kvinnor, 200 barn men bara 100 män. I mitten av 1850-talet var invånartalet högst, 700–800 personer. Sedan sjönk det som en följd av den lågkonjunktur som drabbade Förenta Staterna 1857 och uppgick följande år till 650. När kolonin upplöstes 1860, lämnade många Bishop Hill. Nu bor där drygt 100 personer, de flesta svenskättlingar.

Under de första åren användes soltorkat tegel vid husbyggen, vilket man kan se i kyrkan. Där är många föremål från kolonitiden utställda, bl a träformar i vilka teglet göts.

Större och bättre bostäder måste uppföras för de nya kolonister som anlände. Den sista större gruppen avreste från Sverige 1854. Sammanlagt beräknas drygt 1 500 erikjansare ha utvandrat. Det visade sig snart att lera lämplig att bränna tegel av fanns på kolonins mark. Några tegelugnar uppfördes i samhällets utkant. På kort tid byggs nu den stad som kolonisterna drömt om i breven från de två första åren. Alla tar del i arbetet. Kvinnorna slår tegel, och ibland ristar de enkla figurer, spinnrockar, gungstolar eller sina initialer i den våta leran. När produktionen kom i gång på allvar tillverkades dagligen ca 10 000 tegel, också till försäljning. Enligt Stoneberg skall totalt ca 5 miljoner tegel ha bränts i Bishop Hill.

1849 lades grunden till den första etappen av "Storbyggningen" (Big Brick), en mäktig tegelbyggnad i tre våningar, vindsvåning och källarvåning. Den liknade, skriver Anders Wiberg i Aftonbladet 7 september 1853, "en af Stockholms kaserner, och var en af de längsta byggnader man får se, försedd med trottoir. Der bodde de flesta af kolonins 700 invånare uti tillräckligt stora och beqvämt inredda rum." Varje familj hade ett rum, men barnrika familjer kunde tilldelas ytterligare utrymme.

Huset blev så ståtligt att Erik Jansson beslöt att flytta dit med sin familj. Från dess översta våning kunde han blicka ut över sin stad. Lindbeck berättar att fem av kolonins egna murare deltog i byggnadsarbetet samt dessutom två lejda från Davenport. I sitt brev till Stoneberg tillägger han: " Den 10onde March 1850 invigdes kökett med en Brölopsfäst för 14 sama dag vigda Par, bland de lyckliga var äfwen jag."

Beata, hon är nu så fet och munter

1851 byggdes Big Brick ut och fick då en total längd av ca 70 meter och en bredd av 15. Då huset togs i bruk var det större än någon annan bygg-

Bostadsrum i Storbyggningen efter kolonins upplösning 1860, t v Olof Fors med maka, t h Kate Olander.

nad mellan Chicago och Stilla havet. Förutom bostäder, kök och matsalar innehöll Storbyggningen sju bekväma rum med kök, där ett tjugotal resande samtidigt kunde härbärgeras, berättar Anders Wiberg.[24]

I källarvåningen låg kök och två stora matsalar, en för vuxna och en för barn. Här kunde omkring 1 000 personer utspisas samtidigt. Under sång tågade man till kvällsvard från det gemensamma arbetet på fälten och slog sig ned vid de med linnedukar täckta långborden – skilda för kvinnor och män. 12 kvinnor bar ut maten från köket, där Karin Olsson basade över 17 kokerskor och köksbiträden. Man åt under tystnad.

Basfödan var gröt som tillagades av majs och almbark. Tunnbröd fanns alltid på bordet, liksom svagdricka som bryggdes i stora kvantiteter fem dagar i veckan.[25] Den vanligaste maträtten var pölsa, tillagad av korngryn och hackat kött. Ibland serverades paltbröd med mjölksås och flott eller pannkaka. Kött fick kolonisterna en gång i veckan, betydligt oftare nedsaltad eller rökt fisk som fångats i Mississippi eller Illinois River. Köttsoppa åt man som regel på söndagarna, grönsakssoppa och välling nästan dagligen. Potatis, andra rotfrukter och grönsaker ingick i kosthållet.

I början bakades det hårda brödet av majsmjöl med inmalen almbark. Smör fick de vuxna bara till söndagsfrukost, särskilt de första åren, men barnen också på vardagsmorgnarna. Ost förekom ibland och ingick ofta i den "lillmiddag" som folket åt på förmiddagen under arbetet ute på fälten. Mjölk var som regel förbehållen barnen som aldrig vågade lämna en matbit på tallriken. Vetebullar hörde till sällsyntheterna. Det kaffe som serverades var från början utblandat med surrogat, bränt av vete och råg. I slutet av 1850-talet drogs kaffet helt in, vilket föranledde en protestskrivelse undertecknad av flera kolonister. Kolonin hade stora odlingar av sorghum (durra) som förädlades till socker. Men detta gav goda inkomster. Därför sötade man vanligen med melass, ibland med honung.

Måltiden avslutades med sång och en av Erik Janssons bordsböner: "Jag tackar dig mitt lifs Gud, som har borttagit mina synder, och mättat mig både till kropp och själ, af dina rika välsignelser, som jag alltid äger och åtnjuter, för Jesu Christi namn. Amen!"

När de ekonomiska förhållandena förbättrades en bit in på 1850-talet, serverades allt bättre och rikligare mat och dryck i Storbyggningen. "Vi får omkring 1 qvarter Caffe hvarje morgon ... hvarje afton kl 4 äter vi aftonvahl och dricker lika mycket The. Jag har alldrig varit hungrig sedan jag kom hit till denna plats ... Beata, hon är nu så fet och munter och mår bra till både kropp och själ", skriver Eric Olsson, Olof Krans far, om sin hustru i ett brev till släktingarna i Nora.[26]

Bra tycks man också ha ätit i den kantin som kolonin inrättade för sina medlemmar i Galva. När Axel Adelswärd 1856 bjöds på middag där serverades revbensspjäll och potatismos, körsbärstårta och en slags pudding, mjölk, knäckebröd och vitt bröd.[27]

Då kolonin upplöstes 1860, delades matsalarna och köket upp i mindre utrymmen och byggnaden innehöll då 96 rum. En januarinatt 1928 drabbades samhället av en katastrof. Det började brinna i Storbyggning-

"THE BIG BRICK" BISHOP HILL COLO
BUILT - 1846 -
DESTROYED BY FIRE - JAN 28 -
~ CARLSON PHOTO ~

Storbyggningen före och efter branden 1928.

en, där det då fanns ett tjugotal bostäder, och elden spred sig snabbt. Man lyckades visserligen rädda en del möbler och andra inventarier samt några eleganta, av valnöt tillverkade trappräcken. Men många ovärderliga minnen från kolonitiden förstördes. När elden äntligen dog ut stod bara en del av murarna kvar. De revs sedan och en del av teglet användes till nya husbyggen i samhället.[28]

Som ett Corps de logis

Bas för murarna var August Bandholtz, som var en av dem som gifte sig vid det massbröllop som Lindbeck skildrat. Han kom tjugofem år gammal till Amerika från Kiel 1847 och värvades följande år till Bishop Hill av Olof Johnson, en av de Söderalabor som efter Erik Janssons död 1850 kom att leda kolonins vidare öden. Bandholtz erfarenheter av mellaneuropeiskt byggnadssätt kan ha haft betydelse, då Big Brick och andra tegelbyggnader uppfördes. Deras utformning påverkades däremot av samtida amerikansk byggnadskultur med dess nyklassisistiska drag.

Det har ibland hävdats att Bishop Hills karaktärsbyggnad, Tornbyggningen (The Steeple Buildning), uppförts med förebilder som Landsberga herrgård i Biskopskulla eller rådhuset i Gävle. "Med sina kolonner och torn på taket, ser det ut som ett Corps de logis" på en herrgård där hemma, skriver Axel Adelswärd 1856. De likheter som finns är emellertid tillfälliga och beror främst på att samma stilideal påverkade arkitekturen i både Europa och USA. Tornbyggningen är uppförd 1854 i nyklassisk stil i tre våningar. Den är försedd med ett klocktorn och hade ursprungligen ett platt tak. Dess byggmästare använde troligen som förlaga en typritning från någon av den tidens många arkitekt- och bygghandböcker. Husets närmaste förebilder är de förvaltningsbyggnader som uppfördes runt om i USA under 1800-talet.

Tornbyggningen var tänkt som hotell men fick snart andra funktioner. Sin kanske intressantaste uppgift hade den i äldre tid som "uppfostringsanstalt". Av de tolv apostlar som Erik Jansson utsett för att sprida hans läror över Förenta Staterna och världen var Nils Hedin den ende som hade någon framgång. Inspirerad av vad han hade upplevt på sina resor föreslog Hedin 1855 att en skola eller "uppfostringsanstalt" skulle inrättas och förläggas till Tornbyggningen. Här skulle barnen "vid passande ålder intagas och kvarstanna till de uppnått en ålder då deras förstånd och erfarenhet kunde begripa, omfatta och på egen hand utöva vad de uti en sådan uppfostringsvård hade blivit lärde och övade uti".

I beslutet, som följde Hedins förslag, framhölls dock att föräldrarna inte kunde åläggas att lämna sina barn till skolan. Familjebanden upplöstes aldrig i Bishop Hill, även om man under ett år efter mönster från shakersekten påbjöd celibat, vilket väckte kraftig opposition och ledde till att många lämnade kolonin. Bishop Hills ledare sörjde för en elementär skolundervisning, men de hade inget intresse av att ge medlemmarna möjlighet till högre utbildning, emedan den "endast bidrog att göra män-

Bilden av Tornbyggningen är tagen efter 1860 och före 1869 då det platta taket ersattes. Byggnaden var tänkt att användas som hotell, men blev i stället skola och efter delningen bostadshus.

niskor högfärdiga" och oppositionella. Genom en skola av den karaktär som Hedin skisserat, hoppades man att även de unga skulle bli lojala medlemmar i gemenskapen.

Den bästa samhällsformen

Bishop Hill blev en imponerande skapelse. Mitt i samhället var en park anlagd och träd planterade längs gatorna som hade namn efter ledande män inom gemenskapen. Intill parken byggdes bostadshus och verkstäder och längre bort förrådshus och magasin. Den regelbundna stadsplanen och de ståtliga byggnaderna gör ett starkt intryck på dagens besökare.

En ännu mäktigare verkan gjorde Bishop Hill på 1800-talsresenären. Illinois var då fortfarande glest befolkat och bebyggelsen på de flesta håll inte så storslagen som i svenskkolonin. Vi lämnade Bishop Hill, säger Anders Wiberg, "med intryk af förvåning öfver ställets storartade och ut-

I dag är ett museum ägt av Bishop Hill Heritage inrymt i Tornbyggningen.

märkt vackra natur samt öfver det välstånd, hvari denna en gång så illa beryktade plats syntes befinna sig i".

Då en korrespondent för icariernas tidning Revue Icarienne utgiven i St Louis besöker Bishop Hill 1859 förundras han över allt han får uppleva där och över byggnaderna på platsen som "är mycket stora och utformade på ett imponerande sätt". Jag behöver inte tillägga, säger han, att jag där blev styrkt i min övertygelse sedan tio år att "communalism" är den bästa samhällsformen ("the best form of organization for human societies").

I flera av de utopiska kolonier som grundlagts i Förenta Staterna redan

71

I Red Oak växte de härligaste träd, till och med mullbärsträd och ceder, trädslag som svenskarna bara kände från Bibeln (s 79).

före erikjansarnas invandring finns byggnader bevarade som påminner om dem som under 1850-talet restes i Bishop Hill. Shakersekten byggde stora bostadshus med gemensamma matsalar och kök liksom flera andra religiösa grupper som arbetade och levde tillsammans och tillämpade en fullständig egendomsgemenskap.

Nils Hedin och de apostlar som sändes ut för att missionera försökte värva skickliga hantverkare och andra yrkesmän från andra kolonier till den intensiva byggnadsverksamhet som pågick i Bishop Hill under 1850-talets första år. Hedin lyckades till och med få ett trettiotal medlemmar från Hopedalekolonin i Massachusetts att för en tid bosätta sig i Bishop

Hill. Han hade också kontakt med perfektionisterna i Oneida, New York State, rappisterna i Pennsylvania och med några shakerkolonier.

Ett värdefullt tillskott var den grupp som flyttade upp från shakerkolonin Pleasant Hill i Kentucky, känd för sitt utsökta möbelhantverk och sin arkitektur. Dess medlemmars insikter i fruktodling och boskapsskötsel var också en stor tillgång för svenskarna. Gruppen från Pleasant Hill stannade emellertid inte särskilt länge i Bishop Hill. Förbindelserna mellan de två kolonierna var dock livliga under lång tid, bl a köpte svenskarna boskap från Kentucky. Efter 1860 flyttade några jansoniter till Pleasant Hill. En tid bodde bl a Anna Sophia Pollock där.[29]

I de kolonier som "missionärerna" besökte hade erikjansarna mycket att lära. Många av dessa fungerade som kooperativ, baserade på jordbruk och industriell tillverkning för eget behov och försäljning. Det vore märkligt om de utsända inte tog intryck av vad de såg i Pleasant Hill, i Oneida eller i något annat av de framgångsrika samhällen som de sökte sig till. De erfarenheter de gjorde fick stor betydelse då erikjansarna byggde sin stad och organiserade dess näringsliv.

Ett par platser med liknande samhällsbildning fanns i Bishop Hills närhet. Vid Mississippi låg mormonernas Nauvoo. Samma år som svenskarna anlände till Henry County, tvingades mormonerna att lämna sin stad och börja den långa vandringen mot Salt Lake City. Samhället övertogs av icarierna som här anlade en kommunistisk koloni.

Längre norrut, i Iowa, drygt 100 kilometer väster om Rock Island, låg ett annat sådant samhälle, Amana, grundlagt 1855 av de s k inspirationisterna. Här växte det snart upp flera välbyggda byar med bostäder och verkstäder i sten och tegel. En form av egendomsgemenskap existerar här ännu idag.

De flesta av Bishop Hills innevånare kom från Hälsingland, där bondekulturen var ovanligt rik och bönderna ofta välbärgade. I tävlan med varandra uppförde hälsingebönderna väldiga timmerbyggnader, större än i andra delar av Sverige och prydde dem med vackra möbler och väggmålningar.

Var det kanske hälsingetraditionen som fick svenskarna i Bishop Hill att bygga så storslaget? Men de bröt samtidigt med svenska stilideal och anpassade sig snabbt till det nya landets smak. Det märks tydligt också i möblerna, som bara under de första åren är svenska i form och stil.

Kanske kan också någon i likhet med Helge Nelson, som besökte Bishop Hill i början av 1900-talet i samband med sitt arbete för den stora emigrationsutredningen, spåra en viss släktskap mellan dess byggnader och stadsplan och miljön vid en del svenska brukssamhällen: "Man försätts från en omgivning av typiskt amerikansk prägel hem till Sverige, till ett mellansvenskt brukssamhälle med herrgårdskaraktär på vissa byggnader, av brukslängetyp på andra. Den ger ett oförgätligt egendomligt intryck denna lilla fläck på ej mer än 200 invånare, där hjärtat och centrum är det stora planterade torget av väldiga mått i förhållande till platsens storlek ..."

Rena lakan, hvita såsom Alpernas snö

Många främlingar kom till Bishop Hill under kolonins glansdagar för att titta på byggnaderna och studera de religiösa och sociala förhållandena på platsen. Andra reste dit för att handla med svenskarna, och många utvandrare som var på väg västerut fick natthärbärge i Bishop Hill. Redan från första början tog man väl hand om besökarna och ordnade husrum åt dem. När Tornbyggningen förvandlades till skola, byggde man ett nytt stort hotell som blev berömt för sin utsökta mat, sina trevliga rum och sin balsal. Här fick världens barn ägna sig åt nöjen som var förbjudna för jansoniterna, men som gav dem goda inkomster.

Hotellet uppfördes i fyra etapper 1852–1861. Det var ursprungligen ett långsträckt orappat bostadshus i tegel och två våningar av liknande slag som de båda verkstäderna och byggdes sedan ut så att det fick en U-for-

Från hotellets torn har man en fin utblick över samhället och den omgivande prärien. Den gamla bilden är tagen före 1870, då klockmakaren Björklund hade hand om driften av hotellet.

74

Numera ägs byggnaden av staten Illinois som restaurerat bottenvåningen (nedan) och försett den med möbler från kolonitiden. T h bostadshus från 1855.

mad grundplan. Slutligen försågs hotellet med en tredje, av ett torn krönt våning. Där fanns bland annat den stora festsalen.

Det var viktigt för kolonisterna att visa omgivningen hur de levde, för att undvika att de utsattes för liknade våldshandlingar som drabbade mormonerna i Nauvoo. Flera amerikaner har omvittnat den öppenhet och gästfrihet som rådde i samhället. Deras skildringar av Bishop Hill skiljer sig märkbart från de nidbilder som tecknades av f d erikjansare. I ett nummer av Weekly Rock Island Republican från januari 1853 kan man till exempel läsa följande:

"Har ni nånsin varit i Bishop Hill? Om icke, och i händelse ni skulle resa genom denna trakt, gör ett besök, om ni har en dag eller två att uppoffra till motion och förströelse, stig in i er vagn, tag er hustru med er, om ni har någon, och ni har mitt ord på att hon skall finna nöje och erfarenhet. Kör till kolonihuset. Herr Lundqvist med sitt eget välkomstleende skall emottaga eder ... ´Bordet dukat, min herre´, säger Lundqvist, och hvilket bord ... Det är sängdags, goda bäddar, rena lakan, hvita såsom Alpernas snö, en god eld, värm edra händer, haf godt mod och gå till sängs. Lyssna, är det en aflägsen åska? Nej, det är flitens, spinnrockens dunder. Är icke detta en vaggvisa. Gå till sömns därmed."[30]

Av de tio tegelbyggnader som finns kvar i Bishop Hill, uppfördes köttboden samt den verkstad där snickarna och målarna arbetade år 1851. I verkstadsbyggnaden inryms i dag ortens postkontor. En byggnad som innehöll bageri och bryggeri kom till 1853. Där lagades också en del mat som transporterades på två kärror till matsalarna i Storbyggningen. Bageriet revs tyvärr 1962 för att utvidga baseballplanen. Detta ledde till bildandet av Bishop Hill Heritage Association som såg som sin uppgift att rädda och restaurera ännu kvarstående byggnader.

1853–55 uppförde lejda murare den orappade tegelbyggnad med nyklassisistisk fasad som i dag inrymmer Bishop Hill Heritages souvenirbutik. I bottenvåningen låg under kolonitiden en affär dit folk sökte sig också från den omgivande landsbygden för att handla. I den övre våningen hade kolonin en tid sitt kontor. Senare bodde där butiksföreståndaren och kolonins styrelseledamot Swan Swanson.

1855 tillkom ett av de två stora L-formade bostadshusen mellan butiken och hotellet och följande år dess pendang, en vacker trevåningsbyggnad dit kolonins administration förlades. Då hade Bandholtz lämnat kolonin och L G Lindbeck utsetts till byggmästare. Enligt Lindbecks egen berättelse uppfördes 1855 även sjukhuset, den jämte kyrkan enda större byggnaden av trä. Ett nytt hus restes också i Red Oak och 1857 byggdes den verkstad där kolonins smedja och vagnmakeri låg.

I utkanten av Bishop Hill och på de marker som utbredde sig runt samhället låg många ekonomibyggnader, bl a ett 50 meter långt stall med plats för ett par hundra hästar. De flesta av de uthus och utgårdar som hörde till kolonin finns inte längre kvar. Efter kolonins upplösning flyttade många svenskar ut till den mark som de tilldelades och byggde sig eg-

Skolan togs i bruk 1861 och är den sista byggnad som uppfördes under kolonitiden. Den ägs av föreningen Old Settler´s och används som samlingslokal. Gruppbilden är tagen 1896.

na hus. Runt Bishop Hill ligger därför ett stort antal gårdar som brukas av kolonisternas ättlingar. Liksom sina förfäder odlar de framför allt majs och föder upp svin.

Den sista byggnad som började uppföras under kolonitiden är skolan. Arbetet startade strax före gemenskapens sammanbrott, under den stora "trätotiden". Allt som behövdes för ett skolhus i två våningar var redan tillverkat, då Jonas Olsson ingrep. Denne hade övertagit ledningen i kolonin 1850 sedan Erik Jansson mördats. Olsson och hans anhängare hävdade att det räckte med en våning. Så blev också beslutet, skriver Lindbeck, "till grämelse för den andra Parten. Två gånger under dess uppförande slog åskan ner där, vållade dock lindriga skador. 61 blef det äntligen färdigt. Florin och jag plostrade för betalning."

Sedlar utgivna för Bishop Hill Colony och signerade i nedre högra hörnet av Olof Johnson, som ansvarade för kolonins ekonomi.

Arbete och liv

Så snart erikjansarna slagit sig ned i sitt Nya Jerusalem skriver de triumferande brev hem till släktingar och vänner i Sverige. "Ordet är fullkomnat på oss och alla våra motståndares profetior är om intet. Ty landet som vi har intagit är stort och brett och ett sådant land, att oss intet fattas som på jorden är, ty det flyter utav mjölk och honung ... Och vad beträffar jordens fruktbarhet, så giver majsen på nybrukad jord 800 tunnor ... Höst- och vårvete giver även en ovanligt rik skörd och äng och betesmarker haver vi så stora vidder som hav att släppa våra kreatur och slå uppå. Och det är gräs till 3 à 4 alns längd, ty det är stora marker obebodda – om hela Sverige flyttade hit så syntes det icke något till dem."

I ett senare brev, från november 1847, berättar samme rapportör, Anders Andersson om årets rika skördar: "Behöver vi här icke mycket till utsäde, ty när vi planterar en tunna majs, så kan de få ifrån 5 till 9 hundra tunnor allt efter som jorden är odlad och skött m.m., vete ifrån 15 till 40 tunnor, svenskt korn ifrån 30 till 50 tunnor, havre omkring liknande förhållanden, otaligt med andra frukter, vilka icke växer i Sverige, kan giva ifrån sig tusendefalt ... "[1]

Flytande av mjölk och honung

Landets bördighet gjorde ett starkt intryck på dessa bönder och torpare från Dalarna och Hälsinglands skogsbygder. Även för de upplänningar som hörde till församlingen måste landet ha tett sig paradisiskt. Man kan föreställa sig hur kolonisterna förundrades, då de vandrade omkring bland de härliga träden i Red Oak, där till och med mullbärsträd och ceder växte, trädslag som dessa svenskar bara kände från bibeln.

Vilket intryck måste inte lovsångerna från kolonin ha gjort på dem som ännu inte hade bestämt sig för att utvandra: "Vore allt för mycket att omröra, huru detta land är flytande av mjölk och honung ty här kan vi hämta vilda bin och honung ifrån själva vildmarken ..."

Det var inte bara troende erikjansare som utmålade trakten som en lustgård. I juli 1847 skriver Anders Larsson till J A Ekblom det utförliga brev där han angriper de religiösa förhållandena i Bishop Hill men prisar traktens naturliga tillgångar och befolkningens materiella framsteg:

"På egendomen har de alldeles orimligt med skog, varibland ek av nio sorter, lönn av tre sorter, lind och kastanj dock mest med valnöt och hickory, samt många i Sverige obekanta trädsorter, varutav kan dragas stor nytta och fördel, dels till socker och sirap m.m. och många sorters nötter, dels större dels mindre, varibland valnötter är de största, som kan uppgå

Intill Bishop Hill ligger många bondgårdar brukade av ättlingar till erikjansare. De flesta lever på majsodling och svinuppfödning.

till exempel som små barnhuvuden, vilda plommon och äpplen i myckenhet ... De kunna i år sälja ungefär 4 000 tunnor vete, ungefär lika mycket majs utom korn, havre, potatis m. m. och synes nu snart bliva ett rikt och mäktigt folk."

Grunden för Bishop Hills välstånd var jordbruket. Det första året, 1846, inköptes ca 700 acre. Tre år senare ägde man enligt Liljeholm 10 000 acres som "voro inhägnade genom en deromkring gräfvd canal hvarvid jorden blifvit uppkastad till en hög vall runtomkring. Dessutom vore mer än 500 acre uppodlade med vete, majs, lin mm." Av denna vall finns numera bara obetydliga spår i landskapet.

Liljeholms uppgift om arealens storlek är säkert överdriven. Enligt George Swank uppgick den vid mitten av 1850-talet till drygt 8 000 och vid kolonins upplösning till cirka 12 000 acre (drygt 5 000 hektar).[2]

De vidsträckta ägorna utbredde sig omkring Bishop Hill. På utmarken låg några mindre gårdar, där ett par familjer bodde och där de som arbetade på fälten kunde utspisas. I Krusbo, tre kilometer öster om samhället, hade kolonin sina mjölkkor och söder om Bishop Hill, i Sorbo, sina oxar. Något längre var det till Providence och till New Providence där fyra familjer höll till. Norr om Bishop Hill, på andra sidan Edwards River, låg Red Oak och Norbo. Också där liksom i La Grange och Little Hill fanns det hus för människor och djur.

Erikjansarna hade haft lyckan att slå sig ned i en trakt som hör till de bördigaste i hela USA. Även i övrigt var förutsättningarna gynnsamma. Vi har, säger Andersson, en "egen kalkgruva och vi kan göra hus av tegel... Stenkol finns överallt." Nedanför den kulle där de byggde sitt samhälle rann Edwardsån, som gav kraft till kvarnar och sågar, och uppe på kullen som höjde sig över den gräsbevuxna prärien fanns en aldrig sinande källa som försåg dem med friskt vatten.

Sedan den första hårda vintern var överstånden behövde man inte hysa någon oro för födan, om man får tro Andersson: "Här i landet går det hundratals med svin i skogarna, så att man skjuter och slaktar när man vill." Det fanns också "en stor myckenhet buffel, renar och hjortar samt många andra slag och en stor ymnighet med fågel, som vi både gillrar och skjuter". Fisk var det gott om i Illinois River och särskilt i Mississippi där man fångat "53 tunnor god fisk denna sommar".

Fiskeläget i Mississippi var upprättat på en ö i floden. Fiskarna bodde i "gufvermentets kaserner som regeringen hade upsatt i krig emot indianerne, som då hade varit omkring 20 år förut".[3] En kolonist vid namn Hollander var ansvarig för allt fiske som kolonins medlemmar bedrev.

Vi hafver allting gemensamt

Varje näringsgren hade sin av Erik Jansson, senare av kolonistyrelsen, utsedde föreståndare som skulle leda och planera arbetet. Eric Aline har skildrat hur det gick till när han fick sitt uppdrag: "Jansson tillsatte mig på hösten 1849 att stå för stallen och taga vara på hästarna. Han som stod för dem förut blev död i koleran i La Grange ... Vi hade femton hästar på 49 och voro två som skötte dem, samt gjorde annat arbete i lag med dem. Sedan vi fingo flera hästar voro vi tre som skötte dem. Jag försökte sedan under tiden att komma ifrån det arbetet, men kunde icke. Jag fick behålla det i tolv och ett halvt år till kolonins upplösning den 1sta mars 1862."

Flera av dem som utsågs var yrkesmän med mångårig erfarenhet från hemlandet inom sina ansvarsområden. Arbetet var väl organiserat och alla, både vuxna och barn, hade sina bestämda sysslor att sköta. Efter 1850 tycks medlemmarna i kolonin ha fått större frihet att välja sitt arbete och alternerade mellan olika uppgifter. En vecka arbetade några kvinnor med att mjölka korna, en annan vecka hade de tjänstgöring i bageriet eller med servering vid borden i Storbyggningen. Var och en får "uti samråd med varandra efter sitt fria val vända sig till det ämbete som han vill och kan uträtta efter sina gåvors mått, som hon har fallenhet för", säger Olof Stenberg 1854. Men under skördetiden, tillägger han, "så lämnas nästan alla ämbeten och vi hjälpas åt med den".[4]

Under kolonins första år var kraven särskilt stora på samfundets medlemmar och arbetsdagarna långa. Detta fick många av dem som inte var så starka i tron att lämna kolonin. En av utbrytarna jämför livet i Bishop Hill med förhållandena på en svensk herrgård: "Folket är som livegna, de måste gå efter klocka. Kl. 6 på morgonen ringes det, då de skola stiga ur sängen. Kl. halv sju ringer till bön, som varar till 8 á 9, och sedan rings till frukost. När det ätits ringes det till arbete, och på lika sätt går det till middag och kväll. Sedan kvällsmaten är förtärd ringes i mörkningen till bön, som varar liksom den om morgonen."[5]

"Olydnad får aldrig visas, ty allenast för ett ord går den till helvetet som visar olydnad i något", konstaterar Anders Larsson efter sitt besök i Bishop Hill 1847 och fortsätter: "Allting hettes vara samfällt och den ene har intet mer än den andre ... Ingen arbetar mer än han vill men alla lever i den tron, att ju flitigare man är, desto mer får var och en vid delningen." Vi är nu, skriver Anna Persdotter i februari 1848, "flera hundrade som lefver här tillsammans och äro alle et hierta och en siäl och ingen säger något vara sit utan vi hafver allting gemensamt".[6]

Kanske trodde inte bara Larsson utan också församlingens medlemmar att all egendom efter en tid skulle delas mellan dem. Men egendomsgemenskapen var fullständig. Den enskilda äganderätten var i praktiken upphävd och blev slutgiltigt avskaffad genom de stadgar som antogs 1853 för "Bishop Hill Colony".

Det är dock osäkert om Erik Jansson ursprungligen hade planerat att bygga upp ett kommunistiskt samhälle i urkristendomens anda. Eric Johnson påstår i varje fall att fadern avsåg att låta dela all egendom sedan de sociala och ekonomiska förhållandena stabiliserats. Detsamma uppger Anna Maria Stråhle 1872: "Att vi var för sig skulle kunna anlägga och uppodla ett hem, med de få tillgångar vi hade över, sedan vår resa hit var betald, var rent av en omöjlighet. Vi beslöto därför att bygga och odla jorden gemensamt, vilken gemenskap skulle fortfara efter vad Eric Jansson ofta yttrade, intill dess vi så förkovrat oss, att vi kunde utan skada för varandra fördela oss på var sitt eget hem. Denna sammanlevnad och gemensamheten var på den tiden en inbördes välgörenhetsinrättning, i vilken alla arbetade med vilja och lust."[7]

Bishop Hills kontakter med andra liknande utopiska kolonier kan tidigt ha gjort Erik Jansson övertygad om fördelarna med denna samhällsform. Man kan inte heller utesluta att personligt maktbegär fick honom att avstå från alla tankar på delning. De stora tegelbyggnader som började uppföras under Janssons sista tid skulle knappast ha kommit till, om han vid denna tidpunkt fortfarande planerade att upplösa kolonin.

På höjden av välstånd

"Vi voro i år i tillfälle att besöka kolonin", skriver John Swainson 1853, "och blevo mottagna med stor vänlighet och gästfrihet. Allting tycktes därstädes stå på höjden av välstånd ... Vi hava aldrig förut sett en så stor eller välodlad farm. En av de styrande förde oss upp på en angränsande kulle, varifrån vi hade utsikt över kolonins fält, vilka sträckte sig miltals. På en plats voro samlade femtio ynglingar, vilka med hjälp av lika många hästar och plogar upplöjde ett stort fält, där varje fåra var två miles lång. På ett annat ställe fanns ett kvastmajsfält på ett tusen acres, vars avkastning skulle exporteras till Peoria för att därifrån utskeppas till agenter i Boston, och man väntade härav en inkomst av femtio tusen dollar ... En morgon ledsagades jag till en inhägnad på fältet, varest korna mjölkades. Deras antal måste minst ha varit två hundra, och mjölkerskorna voro cirka fyrtio eller femtio. Där fanns en stor vagn, på vilken var placerat ett oerhört stort kärl, och var och en av mjölkerskorna tömde sin stäva däri, sedan hon klivit upp på en stege. Det hela tog bara en halvtimme."[8]

Redan efter ett år ägde kolonin 200 kor, 40 oxar och 30 hästar. "På får och svin hade de icke någon räkning", konstaterar Anders Larsson. Gud har, säger en brevskrivare "välsignat oss hundrafalt här på den nya jorden". 1855 hade boskapsstocken växt till 586 nötkreatur, ett hundratal hästar och mulor samt många oxar. Djuren hölls i stora ladugårdar där utfodringen delvis mekaniserats. I mejeriet och i Krusbo tillverkades smör och ost för eget bruk och till avsalu. Betydande inkomster fick man också från garveriet. Där bereddes under de tretton år som Gustaf Chilström ansvarade för denna näringsgren omkring 5 000 skinn och 3 000 hudar. Kohudar köptes upp av farmare i trakten för en dollar och kalvskinn för 25 cent och såldes sedan efter beredning i Chicago för 16 dollar.[9]

"Här ibland oss göres också mycket selar och de säljes från 60 till 200 dollar paret", berättar Olof Stenberg som i Amerika kallade sig Stoneberg, i ett brev hem till Forsa i Hälsingland från februari 1854.[10]

Prärien var bördig men hårdarbetad, full av långa gräsrötter och svår att bruka med de enkla redskap som man förfogade över. Sedan kolonisterna fått låna hästar av några grannar kunde plöjningen dock börja. Snart skaffade man sig stora plogar som drogs av upp till åtta par oxar. På flera av Olof Krans målningar skildras detta arbete.

Oxarna drog också de foror med varor som levererades till angränsande samhällen i utbyte mot timmer och annat behövligt. De kördes av de s k oxpojkarna som var och en hade hand om flera par. Den som blev oxpojke räknades som vuxen och behövde inte längre äta i barnens matsal i Storbyggningen.

Satan var i fiolen

Genom Olof Andersons visa om oxpojkarna, till melodi av "Marching through Georgia", vet vi vem som ansvarade för oxarna:

Jacobson, han var oxbas, en god, förståndig man
Kunde styra pojkarna som intet någon ann,
Skiljde många tvister; ja detta gjorde han
Pojkarna då körde oxar.

Jonas "Doodle" Danielson

Om flickorna i kolonin skrev Anderson till samma melodi:

Hvarje morgon, hvarje kväll de mjölka sina kor;
Drogo på sig stöflar - det gick ej ann ha skor
Traska uti smutsen med - kanhända i ej tror.
Flickorna i Kolonien.

Eftersom en stor del av arbetet var förlagt till utgårdarna kunde oxpojkar och mjölkpigor ibland mötas och roa sig där utom räckhåll för Erik Jansson och hans prästerskap. Det var strängt förbjudet för ungdomarna att dansa och att ägna sig åt andra världsliga nöjen. Emil Eriksson berättar:

"Dom träffades om kvällarna. Det bruka Beata tala om. Dom smög sig ut. Dom fick tag i nån av oxpojkarna och dom fick tag i nå jäntor och så gick dom ut å dansa då. För se dom fick inte så mycket som spela en fiol här i kolonin. Nå satan var i fiolen så den fick dom inte begagna. Och för det mesta gick dom till andra städer. Dom hitta på att få tag i nån tidning, den lära dom gömma så inte prästerna fick tag i den ... Bibeln och katekesen skulle dom läsa, men inte nånting annat ... Dom bruka tala om att dom gömde tidningarna i vagnsbotten så att inte gubbarna skulle få tag i dom. Men en kväll så kom prästen ut och fick tag i dom när dom var ute och dansa ... Så dom slog sönder fiolen, dom slog sönder ett par men somliga utav pojkarna var kvick nog till att gömma sig ... dom hade en fiol som dom inte visste av. Dom dansa och spela ... Gud va trött vi var om mornarna när vi skulle ut och mjölka korna ..."[11]

Föregående uppslag: Prärien bryts. Oljemålning av Olof Krans (s 126)

Olov Isaksson intervjuar Emil Eriksson, 1968. I bakgrunden den av Olof Krans målade ridån Bishop Hill 1855.

En sorts gröda som kallas Bromkorn

Det var naturligt att svenskarna i Amerika satsade på odling av lin, en specialitet för hälsingebönder. De höll flera hundra får för sitt eget behov och till försäljning av yllevaror som gav viktiga inkomster. Jonas Olssons dotter Karin Olsson sändes ned till Pleasant Hill för att där lära sig hur tygerna skulle färgas för att passa amerikanska uppköpare.[12] Då kolonin upplöstes och egendomen delades fick Olsson färgeriet i gåva av övriga delägare. I sitt tackbrev skriver han: "Jag tror att vi icke allenast haft en stor besparen af Colloniens pengar genom en ordentlig klädesinrättning, utan äfwen genom ett mer passande arbete för våra qvinnor."

Redan 1848 tillverkade man 11 000 meter lärft. 1851 nådde produktionen sin höjdpunkt med omkring 25 000 meter lärft och drygt 2 700 meter mattor. Därefter sjönk tillverkningen eftersom billigare fabriksgjorda tyger hade börjat komma in från industristäderna på östkusten genom järnvägarnas utbyggnad. Enligt Stoneberg skall omkring 30 000 meter ylletyger ha vävts i kolonin fram till dess upplösning.[13]

Innan kolonins snickare hunnit förfärdiga tillräckligt många vävstolar för denna "storindustri" pågick arbetet dygnet runt i skift. "Kvinnorna fick i sanning genom wako och fasta arbeta med dessa saker", skriver John Hallsén. I en byggnad stod 12 vävstolar och i bostäderna de 140 spinnrockar, vilkas surrande ljud vaggade korrespondenten för Weekly Rock Island Republican till sömns en vinterdag 1853.

Tillsammans med Fridström och efter dennes död 1849 Peter Wexell hade Hallsén ansvaret för tillverkning och utdelning av kläder till både kvinnor och män. De var alla utlärda skräddare. I skrädderiet gjordes kläder för kolonins eget behov och för försäljning. Varje medlem i samfundet fick utkvittera två omgångar kläder, ett par stövlar och ett par skor om året. Av Krans målningar får man intrycket att alla kvinnor var klädda på samma sätt i arbetet och det tycks också männen ha varit.

Det första året då det var ont om mat, och pengar med olika tänkbara medel måste anskaffas för att klara försörjningen för hundratals människor, hade kolonisterna tvingats sälja en del av sina gångkläder men också omsydda plagg som burits av de många som dog den vintern. När textilproduktionen kom i gång på allvar, levererades varor till uppköpare i städerna men såldes också genom kringresande gårdfarihandlare som var medlemmar av kolonin.[14]

Ännu större betydelse än linodlingen för den snabba ekonomiska utvecklingen I Bishop Hill fick odlingen av majs och framför allt av "en sorts gröda ... som kallas Bromkorn ... När den såldes fick vi 10 000 dollar och en Dollar är sirka 4 Riksd svenskt mynt", berättar Olof Jonsson stolt 1854. Odlingen hade startat några år tidigare och växte snabbt.

Öster om samhället låg en hel liten by med ett femtontal byggnader ordnade i regelbundna kvarter och åtskilda av gator. I dessa förvarades och bearbetades majsen. Broomcorn exporterades till Chicago, New York och även till Canada. En stor del av skörden användes för kolonins egen tillverkning av kvastar. Ett år såldes mer än 14 000 till en firma i St Louis, där kolonin fick avsättning för många andra produkter, bl a vagnar.

1861 förstördes "Bishop Hill Broomcorn Village" i en häftig brand och därmed upphörde också produktionen i stor skala. Nu kan man emellertid åter köpa majskvastar tillverkade i Bishop Hill, där flera olika hantverkare sedan några år tillbaka har sina verkstäder.

Sedan kolonin 1850 anställt en yrkesman, Richard Mascall, för att förbättra metoderna gav åkerbruket en allt större avkastning. Under skördetiden upphörde nästan allt annat arbete i kolonin. Männen slog säden med lie och efter dem gick kvinnorna och band kärvar; senare skaffade man sig "cradles", ett lieliknande redskap försett med en vinge.

När arbetet var slut för dagen tågade "liemännen ... från fältet, två och två, alla i linie, med sina besynnerliga skördeinstrument på axeln, medan efter dem kom qvinnorna likaledes ordnade i led, samt till slut barnen, hela skördehären utgörande öfver 200 menniskor och alla sjungande någon munter sång. Vid hemkomsten slogo de sig ned vid det gemensamma matbordet i den stora byggnaden, der de åtnjöto en rikligen tillagad festmåltid jemte andra förplägningar."[15]

Man försökte mekanisera och rationalisera jordbruket så snabbt som möjligt och redan 1849 köptes en skördemaskin. Den första skörden hade tröskats på enklast tänkbara sätt, genom urslagning mot en tunna, men bara några år senare användes tröskverk, vilkas konstruktion förbättrades av svenskarna. Det hyrdes ut till farmare i trakten, mot att kolonin fick en åttondel av resultatet.[16]

*Köttboden (t v) uppförd 1851 finns kvar och används som bostad. Rivna sedan länge är
däremot rökeriet, slakteriet och den lada som skymtar i bakgrunden.*

Sedan några utsända jansoniter studerat fruktodling i Pleasant Hill
planterade man en mängd fruktträd. De är förtecknade i "Bok för Bishop
Hill Trädgård", som även redovisar de många träd som planterats i par-
ken 1857 och längs gatorna i samhället.

Gud bevare oss från koleran

Bishop Hill syntes i slutet av 1840-talet gå en ljus framtid till mötes. Man
hade bra tillgång på hängiven arbetskraft sedan församlingens värsta ve-
dersakare flyttat därifrån och fick allt större skördar samt god avsättning
för sina varor. Bostadsstandarden steg och ekonomin förbättrades. Då
drabbades kolonin av koleran. Den kom till Bishop Hill genom en grupp
norrmän som hade värvats av Jonas Nylund, en av Erik Janssons apostlar.

Genom denna farsot, som härjade i stora delar av Mellanvästern, min-
skade Bishop Hills befolkning med nära 150 personer till drygt 400. "Wå-
ra kraftigaste och skickligaste män föllo bland dem 3 wåra bästa murare,
E Käck, P Forsell från Forsa, dito min bror E Lindbeck", skriver L G Lind-
beck i juni 1908 till Philip Stoneberg.

Eric Aline har lämnat en skakande skildring av tragedin: "Jag minns när norskarna kom med koleran till Bishop Hill 1849. De fick flytta in i en ny byggnad som inte var riktigt färdig och som sedan begagnades till väveribyggnad ... De hade hängt upp sina korakläder så att det luktade på lång väg. En del voro något rädda för dem, men Dr Foster sade att vi ej skulle vara rädda för han kunde bota koleran, men annat fick vi se efteråt ... När vi kom hem från vårt arbete fick Nordin och jag befallning från Jansson att gå till den västra byggningen som då skulle bliva sjukhus och gå upp i övre våningen och gnida krampen på Mrs Lotta Nordlund. Hon var med och lagade middag men en eftermiddag fick hon koleran. Vi voro nära henne hela natten och arbetade med krampen. Klockan fyra på morgonen fingo vi bära ned henne död, lade henne i trillan och förde henne till graven ... Doktorerna gjorde mer skada än nytta med sin medicin, ingen gick igenom som fick av den ... Koleran började med kräkningar eller diarré, och de blevo törstiga och heta invärtes och maktlösa. Läpparna blevo torra, sedan kom krampen och drog ihop senorna i ben och lår, och då ropades om hjälp ... Gud bevare oss från koleran!"

Även Lindbeck deltog i kampen för att rädda dem som insjuknat. "Trots vår möda måste vi dock bära ut den ena efter den andra i simpla hopspikade kistor som i hast hopsattes, under 3 veckor skördade döden 108 personer."

Det var svårt att undgå koleran. Av dem som flydde till utgården La Grange dog 70 personer. Också i Little Hill avled flera av kolonins medlemmar. Själv lämnade Erik Jansson efter en tid Bishop Hill och begav sig till fiskeläget vid Mississippi, men också dit nådde farsoten. Sedan hustrun och två av barnen dött skriver Jansson "några ord ifrån ett Christi sänningabud till hans egna Barn en mörk och kulen dag". I brevet berättar han om makans lidande för "sina andliga barns olydnad" och om hennes "martyrdöd" samt nämner att hon på dödsbädden lagt hans eventuella omgifte i Guds händer. En månad senare gifter sig Jansson med Anna Sophia Pollock som nu övertar ledningen av kvinnosysslorna i samhället.[17]

I många brev som under 1840-talet avsändes till hemlandet av tidigare kolonister anklagades Erik Jansson för en upprörande vanvård av dem som insjuknat vintern 1846–47 och under koleraepidemin. De som dog behandlades, påstod man, som osjäliga djur och förvägrades en kristen begravning.

I ett brev skrivet i Victoria den 27 mars 1848 heter det: "När de klagat att de äro sjuka, så äro de lata till att tro, och så måste de arbeta, fast de äro sjuka. Och om de slipper arbeta, så säger han, att de skall gå i sjukhuset och dö, men om de icke dör på den föresatta tiden, så äro de evigt förbannade." Skildringarna är förmodligen överdrivna, även om mycket tyder på att Jansson såg sjukdom och död som ett syndastraff, en uppfattning som knappast delades av hans närmaste medarbetare.[18]

Massbegravningar förekom både den första vintern och när koleran drabbade kolonin. Inga gravvårdar sattes då upp över de döda. Kanske fanns det varken tid eller möjligheter att ta hand om de sjuka och döda

Kolerans många offer jordades i massgravar. Gravvårdar sattes upp först sedan förhållandena i kolonin förbättrats. På de flesta stenar är familjenamnen svenska.

på annat sätt än som skedde – särskilt eftersom koleran härjade under tre heta sommarveckor. De döda måste i jorden så snabbt som möjligt, om inte kolonin skulle utplånas.

Redan vid kolonins etablering inrättade man särskilda rum för de sjuka. Då Rödhuset, där Erik Jansson bodde, stod klart flyttades sjukavdelningen dit från den jordkula där den tidigare inrymts. 1847 uppfördes "den gula byggnaden". I bottenvåningen låg sjuksalar, medan vindsvåningen användes för spinning och vävning. Denna byggnad, som senare flyttades ut från samhället och revs 1971, ersattes 1855 av det sjukhus i två våningar som i dag utgör en viktig del av Bishop Hills miljö. Varken på svensk eller amerikansk landsbygd fanns särskilt många liknande vårdanläggningar vid 1800-talets mitt.[19]

I det apotek som låg i byggnaden såldes medicin till folk i trakten. Sjukhuset tog gärna emot personer som inte tillhörde samfundet. Också på detta sätt visade kolonin en öppen attityd mot omgivningen. Då den utsände journalisten från Revue Icarienne tittade in i sjukhuset 1859 var varken någon patient utifrån eller någon kolonimedlem inlagd.

Från början anlitade man någon av de få, knappast kompetenta läkare som verkade i denna del av Illinois. Erfarenheterna av deras läkekonst

*En av jordkulorna på Olof Krans målning av Bishop Hill 1846 användes som sjukstuga.
Det första sjukhuset (Gulbyggningen) uppfördes 1847 och ersattes 1855 av en träbygg-
nad i två våningar, nu använd som bostadshus.*

tycks sällan ha varit goda. Robert Foster, som uppges ha varit botaniker,
lyckades vinna Erik Janssons förtroende. Vid en omröstning bland kolo-
nins medlemmar beslöts att han inte skulle anlitas av samfundet. Jansson
hade emellertid invecklat sig i vidlyftiga affärer med denne man, vilket
dyrt fick betalas av kolonin.[20]

En av kolonisterna, den tidigare sockenskräddaren i Mora Anders
Blomberg, fick överta rollen som koloniläkare. Han har, säger en kolo-
nist, "pragtiser igenom lesni så at han är så god som många af landets
doctor". Därigenom "ränsades vi ifrån Doctorer som lik en frätande kräf-
ta har i många förflutne år mägtigt nog tärt, icke allenast försvårat vår
Ekonomiska ställning utan också försvagat många kroppshyddor", skri-
ver Johan Olsson.

Då Blomberg blev shaker och flyttade till Pleasant Hill, övertog Olof
Nordström ansvaret för sjukvården som han behöll till sin död 1867. Så
småningom fick befolkningen tillgång till utbildade läkare, bland dem en
holländare vid namn Vannice. Dennes son Elbert var en skicklig musiker,
som man kan lyssna till på några av de inspelningar som Jonas Berggren
gjorde vid 1900-talets början. Vannice var också en intresserad fotograf
och skildrare av livet i Bishop Hill omkring sekelskiftet.

Trots de negativa rapporterna i svensk press fortsatte nya grupper av trosfränder att anlända till Bishop Hill. Sedan Olof Johnson och Olof Stoneberg, två av de "furstar" Erik Jansson utsett, återvänt till Sverige 1850 för att locka över kolonister och inkassera medel som genom arv och på annat sätt tillfallit kolonins medlemmar, tog emigrationen på nytt fart. Det året kom inte mindre än tre grupper. Året innan hade en grupp anlänt.

Erik Jansson var kolonins andlige och världslige härskare och han styrde närmast despotiskt över sin skapelse. Med hjälp av främst Jonas Olsson organiserade han arbete och liv i kolonin. Genom sin makt över medlemmarnas själar fick han dem att lyda även då han påbjöd fasta, när det var ont om mat, eller förbjöd kolonins medlemmar att gifta sig. Det senare påbjöds 1847 för att fler barn inte skulle födas i den hungrande kolonin där tillgången på bra bostäder dessutom var knapp. När förhållandena hade förbättrats anordnades sommartid följande år ett massbröllop i Anderson Grove. Jansson vigde då 24 par som han själv förenat. Giftermålsförbudet utnyttjades i propagandan i Sverige mot jansoniterna. I en 1849 utgiven pamflett påstår författaren att sedan förbudet upphävts påbjöd Jansson "att om mannen fick begärelse till sin hustru, så skulle de genast falla ner på den plats de war och fullborda begärelsen".

Charlotta Lovisa Root, kusin till Erik Jansson och gift med John Root som 1850 mördade kolonins ledare. Oljemålning av Olof Krans (s 135).

Den stränga hand som Erik Jansson höll över sin församling blev också orsaken till hans död. Den 13 maj 1850 sköts han ned i rådhuset i Cambridge av en tidigare medlem i kolonin, svensken John Root. Denne hade kommit till Bishop Hill 1848 och gift sig med Charlotta Lovisa Jansson, en kusin till Erik Jansson. I äktenskapskontraktet försäkrar Root att makan skall ha rätt att stanna kvar i kolonin, även om han själv önskar överge den. Då koleraepidemin bröt ut försökte han övertyga sin då gravida hustru att de skulle fly från Bishop Hill. Men hon vägrade och Root lämnade ensam samhället.

Då han några månader senare fick veta att hon fött en son, återvände han till kolonin och lyckades få med sig hustrun och barnet. Jansson reagerade omedelbart och sände ut ett par av sina män som hann upp de flyende och fritog kvinnan. På detta svarade Root med att instämma Jansson till tinget i Cambridge. Än en gång fick Root med sig hustrun och förde henne till vänner i Chicago, där hon gömdes. Jansson gav dock inte upp utan sände några av sina mest betrodda män, bland dem Jonas Olsson, till Chicago där de lyckades hitta henne. På nytt fördes Charlotta Lovisa på hästryggen tillbaka till Bishop Hill.

Root samlade nu en stor folkhop som drog mot Bishop Hill för att befria hans maka och straffa svenskarna. Under tre dygn hölls samhället belägrat av mobben. Risken var uppenbar att Bishop Hill skulle gå samma öde till mötes som Nauvoo. Sex år tidigare hade mormonernas praktfulla stad förstörts av en rasande folkhop. Då angriparna till slut försökte tränga in i Bishop Hill, möttes de av välbeväpnade män som snart fick mobben att skingras. Till svenskarnas hjälp hade flera grannar skyndat. Dessa hade som regel bra relationer till kolonisterna. Många av dem var också på olika sätt beroende av det välutvecklade samhälle som Bishop Hill utgjorde. Den öppenhet mot folk i trakten som erikjansarna visade blev kanske deras räddning. Uppgifter om händelserna i Bishop Hill spred sig till Sverige. I en del norrlandstidningar uppgavs att Bishop Hill bränts ned, vilket skapade stor oro bland släktingar och vänner.[21]

Under tiden hade Jansson låtit gömma Charlotta Lovisa i en grotta inte långt från Bishop Hill. I fruktan för sitt liv flydde han sedan till St Louis tillsammans med henne och hennes barn, hustrun Anna Sophia Pollock samt några församlingsmedlemmar.

I St Louis försökte Jansson reda upp kolonins affärer som under de senaste två åren försämrats, bl a som en följd av koleraepidemin. Skulderna uppgick till cirka 8 000 dollar. I ett brev till sin församling behandlar han den ekonomiska situationen: "Det synes väl såsom vi gjorde orätt då vi icke betalar det vi äro skyldiga, men mitt samvete är klart inför Gud att jag har gjort allt vad som göras kan för att skaffa pengar men allt är förgäves, nämligen att få låna pengar emot intäckning."

I ett annat brev kretsar Erik Janssons tankar kring sin fiende och skriver: "Root far efter mitt lif."

Efter sex veckors frånvaro återvände Jansson den 11 maj till Bishop Hill. Följande dag, som var en söndag, talade han för sista gången i ko-

I ett brev som Erik Jansson skrev till Anders Berglund från St Louis strax före sin död varnar han för John Root som "är en djävul och har helvetet till lön". Brevet avslutas med orden: "Gud som har frälst mig ifrån lejonens mun och ulvars gap, han vare Eder frid och salighet ifrån nu och till evig tid. Och det giver jag Eder som tror. Eder vän Erik Jansson."

lonikyrkan. Som utgångspunkt för sin predikan tog han några bibelverser, vilka tycktes förebåda hans snara hädanfärd. Följande dag reste han till rättegången i Cambridge där Root väntade och avlossade skottet.

Erik Janssons död var en omvälvande chock för hans lärjungar som trodde att deras ledare och profet genom ett himmelskt ingripande skulle återvända till sin församling. Under tre dygn vilade han omgiven av blommor i ett rum i Storbyggningen. Då undret inte inträffade, fördes

*I staten Illinois museisamlingar i Bishop Hill förvaras
den silkesväst som Erik Jansson bar då skottet träffade honom.*

*Anders Berglund, som under en kort tid efter
Erik Janssons död fungerade som dennes efterträdare och kolonins styresman.
Oljemålning av Olof Krans.*

den döde till kyrkogården för att jordfästas. Under akten lade den "Andliga modern" Anna Sophia Pollock sina händer på Anders Berglunds axlar. Därmed hade hon utvalt denne man till kolonins styresman och ställföreträdare för den då tolvårige sonen, vilken enligt Erik Janssons planer senare skulle överta ledningen för kolonin. Som ett tecken på sin utkorelse tog Berglund på sig den silkesväst med ett blodkantat kulhål som Jansson burit då skottet träffade hans hjärta.

Berglund var en av Erik Janssons mest hängivna lärjungar och han stod fast i sin tro på denne som den "trogna och snälla skaffaren som herren hafver satt öfver alla sina ägodelar". I ett av sina många brev till sönerna, som vägrat att följa med föräldrarna, skriver han att det fanns inte "någon som visade uppå Abrahams tro, förr än Erik Jansson kom och var såsom Jesus Christus sielf en föraktad människa ..."[22]

De ohyggligaste berg och dalar

Den guldfeber som spred sig i Förenta Staterna efter upptäckten 1848 av fyndigheterna i Kalifornien nådde också Bishop Hill. Tillsammans med åtta andra kolonister hade Jonas Olsson strax före profetens död gett sig iväg till Kalifornien för att gräva guld, i förhoppning att kolonins finanser därigenom skulle förbättras, men också för att undgå John Root. Denne hade hotat att hämnas på Olsson för de oförrätter som tillfogats honom.

Den 23 mars 1850 startade erikjansarna färden västerut. När de efter nära fem månaders strapatsrik färd nådde Placerville i Kalifornien, hade de tillryggalagt en sträcka på 4 000 kilometer. I sin dagbok berättar Jonas Olsson om den långa vandringen och guldsökandets vedermödor.[23]

Kommentarerna är ofta lakoniska: "April 15, kommo vi fram till St. Louis och måste vi sälja korn och havre som var ämnat till hästföda; Maj 2, följde vi Platte River, stritt regn om aftonen; 12, krossade vi South Platte River, där flera vagnar fastnade så att de måste bäras ur den; 13, camp vid floden där vi blevo hindrade genom gångning av buffalo, två skötos och insaltade vi dess kött; 15, träffade vi en stor mängd indianer som på båda sidor av floden uppslagit sina tält; 21, passerade vi Scotts Bluffs; 24, passerade vi de märkvärdigaste bergskullar och dalar samt ceder och tall... Juni 2, efter sex miles förgiftad källa, 4 mil därifrån till Independence Rock där oräkneliga namn var av emigranterna i bergshällorna inskrivna; 6, över höga berg samt stora snövidder, dålig camp; 16, passerade en dal, förskräckliga berg på båda sidor; 18, krossade vi en bäck 19 gånger; 19–25, i Salt Lake; Juli 1, passerade vi en källa som var varmt och salt vatten uti; 16, vid Marys River, där måste vi simma över för att slå gräs åt kreaturen; 20, tog vi bort framhjulen på vagnen och gjorde en kärra; 28, kommo vi till sista vattnet före 46 miles öken, där det varken fanns gräs, vatten eller ved."

Den svåraste delen av färden var de sista 500 kilometerna: "Kreaturen började giva upp, vagnarna lämnades, kläder och övriga saker måste vi bortkasta; vår proviant var nära slut; inga pengar fanns att tillgå. Vägen vi hade kvar bestod av gräs och vatten, lösa öknar och de ohyggligaste berg och dalar i världen. Så åtskiljdes vi den 1 augusti för att möta nya öden."

Tio dagar senare förenades man i Hanktown, glada över att "alla kommit undan med livet som byte". Sedan man tillverkat redskap började sökandet efter guld. Men männens krafter var nedsatta och framgången blev ringa. "Så fortfor det en månad och ingen kunde förvärva sig mer än behövliga verktyg, så väl som nödiga kläder."

Då expeditionen anlände till Kalifornien, hade man genom tidningar redan hört talas om den tragedi som i maj drabbat Bishop Hill. Genom brev från kolonin fick guldgrävarna bekräftelse på att deras "andlige fader" mördats. Det är troligt att Jonas Olsson redan nu började planera att återvända till Bishop Hill för att söka överta makten där. Snart lämnades mig, säger Olsson, "det lilla förråd av pengar vi hade och alla voro nöjda att låta mig fara hem näst kommande vinter, eller så snart vi kan förtjäna oss … så mycket pengar som kan fordras för min frakt hem".

Med en reskassa på 200 dollar skildes Olsson den 9 november, efter knappt tre månaders guldgrävning, från sina kamrater. De var sju eftersom Blombergson dött. Han tog sig nu med båt från San Francisco till Centralamerika och red på fem dygn över till Atlantkusten. Därifrån färdades han med ångbåt till New Orleans och vidare längs Mississippi till St Louis. Till Bishop Hill anlände Jonas Olsson den 13 februari 1851. Resan hade då tagit något mer än tre månader.

Den mödosamma expeditionen hade inte kunnat lösa Bishop Hills ekonomiska problem. I sin dagbok anger Olsson värdet av det guld som hade vaskats fram då han lämnade sina kamrater till knappt 500 dollar. Han är besviken och anklagar handelsmännen och hotellägarna som ser till att "alla tidningsblad äro uppfyllda med florerande beskrivningar om den lycka som emigranterna gör och gjort i California … Men de tiga med att berätta om huru många som lämnat sina hustrur och barn i fattigdom och elände, då de förstört sina rikedomar på denna förskräckliga resa; de glömma att berätta något om de många tusende som genom kolera och sjukdomar, så väl som utav indianers mordpilar blivit döda, och även ha många uti vattenfloderna blivit drunknade. De tiga med att berätta att de ej behövde stiga med sin fot på jorden från Missouri till California om alla döda oxar, hästar och mulor samt efterlämnade vagnar, kläder och dyrbara saker vore ordentligt utbredda."

Bishop Hill Colony

Kort tid efter det att Jonas Olsson återvänt till Bishop Hill befriades Anders Berglund från uppdraget som kolonins styresman. Olsson övertog nu själv ledningen av samfundet tillsammans med en folkvald styrelse. Ett auktoritärt styrelsesätt var på väg att avlösas av ett mer demokratiskt.

Tack var goda konjunkturer, hårt arbete och 6 000 dollar som Olof Johnson och Olof Stoneberg inkasserat under en resa i Sverige för att få ut arv som utfallit till kolonimedlemmar kunde kolonin nu inte endast snabbt betala sina skulder utan även göra stora investeringar i jordbruk, hantverk och byggenskap. På några få år uppfördes nu alla de stora tegelbyggnader som ger Bishop Hill dess speciella karaktär. Kolonin styrdes av kompetenta ledare och tycktes gå en ljus framtid till mötes. De mörka minnena från de första svåra åren och mordet på Erik Jansson var snart glömda i den framstegsoptimism som präglade alla.

Kvarn- och sågverksdrift gav goda inkomster liksom tegeltillverkning, jordbruk och boskapsskötsel, frukt- och grönsaksodling samt hotellrörelse. Bishop Hill blev snart välkänt för sin livliga industriella verksamhet och sina skickliga hantverkare. Bland kolonins medlemmar fanns 43 "specialister" av olika slag, bl a fjorton snickare, sex smeder, sex skomakare, fyra hjulmakare, tre skräddare, en vagnmakare, en mjölnare och en sadelmakare. 1850 kom också silversmeden Erik Troil från Hudiksvall och satte upp en verkstad i Bishop Hill. I ett brev säger han sig vara sysselsatt "med att göra skedar, som visar sig vara ett gynnande hantverk".[1]

Vid styrelsesammanträde i januari 1855 utsågs ett antal förståndare för kolonins verkstäder. Olof Frenell fick ansvaret för tillverkningen av vagnar som enligt M A Mikkelsen sysselsatte sammanlagt sex man. Per Olof Blomberg basade för nio smeder och Peter Wickblom för fem man i skomakeriet. Sven Björklund var chef för måleriverkstaden och urmakeriet. E Ericson skulle ansvara för kolonins arbetsredskap, Eric Aline för tillverkningen av seldon samt Lars Lindbeck och Nils Florin för tegelslagning och byggenskap.[2]

I kolonins butik och på dess postkontor arbetade två man, i skrädderiet sex män och tre kvinnor. Tre män och nio kvinnor var avdelade för att tillverka kvastar, medan fyra kvinnor skötte kolonins kalvar och lika många hade hand om svinen. Två arbetade dagligen i mejeriet och bryggeriet samt fyra i bageriet. För tvätt och rengöring hade tio kvinnor ansvaret. Några av kolonins manliga medlemmar var verksamma i dess såg- och kvarnrörelse. Mest arbetskraft krävde jordbruket och den intensiva byggnadsverksamheten som sysselsatte murare, snickare och hantlangare.

Jonas Olsson, Bishop Hills starke man och dess egent-
lige ledare efter Erik Janssons död. Oljemålning av
Olof Krans.

Eftersom antalet kvinnor var betydligt större än antalet män, deltog kvinnor både i murningsarbeten och andra grovsysslor. Men trots sitt flertal hade de begränsat inflytande på kolonins verksamhet. Bishop Hill var ett patriarkaliskt samhälle. Kvinnorna hade överallt utom i köket män som chefer. Till och med deras kläder syddes under överinseende av en man, John Hallsén.

Ett säkert sätt att samla rikedom

Vid ett affärsbesök i St Louis strax före sin död hade Erik Jansson konstaterat att det där fanns god avsättning för vagnar och plogar. I det brev han sände till Bishop Hill uppmanades de hemmavarande att "göra vagnar, så mycket göras kan". Vagnstillverkning för försäljning påbörjades 1849, berättar John Hallsén. "P O Blomberg och Jonas Malmgren var smedjans föreståndare, för järnarbete, och för trä wärkes sammansättning war Nils Hellbom. Dessa wärkstäder var så till sägandes, icke tysta hvarkän dag eller natt ... Alla ansträngde sin förmåga för att förbättra sakäns ställning." De lägger numera "mindre vikt på religionen och slår sig mer på industrien", säger en kritisk iakttagare.3

Vagnarnas överlägsna kvalitet är väl omvittnad, skriver signaturen Settler i en artikelserie 1860 om Bishop Hill i Henry County Chronicle, där han också konstaterar att de plogar som kolonin tillverkar är "excellent".

Byggnaden med den nyklassisistiska fasaden började uppföras 1853 och användes som affär. På övervåningen låg kolonins kontor som två år senare flyttades till en större L-formad nybyggnad strax intill. Den rasade delvis samman 1969 men kunde räddas bl a tack vare bidrag från Gustav VI Adolf och dennes fond för svensk kultur.

Vid en av huvudgatorna ligger ännu kolonins två större verkstadsbyggnader där bl a vagnar och plogar tillverkades. Den vänstra byggnaden, som också avbildas på det gamla fotografiet, används i dag av några konsthantverkare, i den högra är postkontoret numera inrymt.

Vagnarna tillverkades dels i den tegelbyggnad där en keramiker och ytterligare någon konsthantverkare numera har sina lokaler, dels i det hus där ortens postkontor i dag är inrymt. Här görs "mycket vagnar och skäsar ibland oss och de säljas från 60 till 200 Daler paret", skriver Olof Stoneberg 1854.[4]

I bottenvåningen låg smedjan med sju härdar och där utfördes alla järnarbeten. Trädelarna gjordes i den verkstad som ligger mellan smedjan och Tornbyggningen. Här snickrades också större möbler för kolonins eget behov. I den övre våningen låg målarverkstaden. Vagnarna monterades samman på smedjans övre plan och rullades sedan ut på en bred ramp. Denna rekonstruerades i samband med att huset restaurerades 1991.

I sin verkstad i Grand Detour vid Rock River, Illinois konstruerade John Deer 1837 en djupgående stålplog som bättre än tidigare använda plogar kunde bryta upp den hårda prärien. Tio år senare flyttade han verkstaden till Moline. Till hans först anställda smeder hörde ett par svenskar. Det finns eventuellt ett samband mellan plogtillverkningen i Bishop Hill och Johns Deers berömda "The Prairie Queen". Hans företag kom efter hand att utvecklas till en av världens ledande tillverkare av jordbruksmaskiner.

Svenskarna har förmågan att tillägna sig alla nya metoder i både jordbruk och industri, säger en reporter 1859: "Jag skulle inte bli förvånad om de var de första som äger en ångdriven plog. De talade en hel del om detta med mig." Han berättar också att kolonin fått utmärkelser av Jordbruks- och industriföreningen i Henry County för sina husdjur och första priset för klockan i Tornbyggningens kampanil, tillverkad av Sven Björklund, Peter Blomberg och Lars Söderquist.

Skribenten prisar de arbeten som pågår överallt i samhället. De utförs i stor skala och med rationella metoder, vilket sparar mycket tid. En man kör hela dagen omkring i samhället med en vagn. Om någon vill ha en transport utförd, är det bara att säga till.[5]

Våren 1856 besökte ingenjören Axel Adelsvärd Bishop Hill. Han var utsänd av den svenska regeringen för att studera järnvägarnas utbyggnad i Amerika och kom därför till Galva som hade fått järnvägsförbindelse ett par år tidigare. Även för Adelsvärd är Bishop Hill en positiv upplevelse. I ett brev till sin mor berättar han om de imponerande byggnaderna och konstaterar att invånarna är "flitiga och idoga", varpå den unge baronen tillägger: "att slå sig tillsammans, som de gjort, är här i Amerika ett säkert sätt att samla rikedom ..."[6]

För att söndersarga individens rättigheter

När skördarna ökade, produktionen steg, handeln och ekonomin expanderade blev det allt mer opraktiskt att kolonin saknade juridisk status. Detta innebar bl a att alla avtal som gällde affärer måste slutas i enskild persons namn. På ledarnas initiativ registrerades kolonin därför genom en officiell akt som ett ekonomiskt kooperativ, "Bishop Hill Colony".

Detta leddes av en vald styrelse. Verksamheten var reglerad genom en av medlemmarna antagen förordning. "Föremålet med nämnda Corporation skall bliva manufakturering, kvarnrörelse, allehanda mekaniska arbeten, lantbruk och handel", heter det i reglementet. Detta antogs i januari 1853 och erhöll följande år en rad kompletterande detaljbestämmelser. I styrelsen invaldes fem Söderalabor, Jonas Olsson, Olof Johnson, Jonas Erickson, Jacob Jacobson och Swan Swanson, Alftabonden Jonas Kronberg samt profetens bror Peter Janson som dock senare avgick och efterträddes av Olof Stoneberg. Mest inflytelserika var de två förstnämnda. Medan Olsson hade ambitioner att betraktas som kolonins andlige ledare och Erik Janssons arvtagare, med stor makt över den interna utvecklingen, skötte Johnson samfundets handelskontakter och den vidare utvecklingen av dess ekonomiska liv.

Förordningen och dess bilagor gav sysslomännen vidsträckta befogenheter och i realiteten kontroll över all egendom i Bishop Hill. Vid en årlig sammankomst med kolonins alla män i januari skulle de visserligen "avgiva en fullständig redovisning över såväl finansiella som övriga affärers tillstånd", men utan att höra medlemmarna kunde sysslomännen sluta avtal på kolonins vägnar. De fick "köpa, hålla och överlåta fast och lös egendom". Sysslomännen hade rätt att avgöra vilka som efter ansökan kunde upptas som medlemmar i kolonin samt även utesluta den som "gjort sig skyldig till störande av den allmänna friden och enigheten", dvs i realiteten alla som opponerade mot sysslomännen och deras beslut. Den som ville gå in i kolonin skulle för alltid överlämna allt vad han ägde till samfälligheten samt skriva under kolonins stadgar.

Vid flera tillfällen uteslöts också ur gemenskapen personer som hade en annan uppfattning än sysslomännen i religiösa eller ekonomiska frågor. I maj 1855 utstöttes tio män, flera av dem gifta. I beslutet sades att om de "önskade bilda sig en särskild koloni i ändamål att förena sig i religionsåsikter och underhåll av änkor, fattiga, omyndiga barn, så skulle kolonins sysslomän för dessa personers räkning inköpa land motsvarande sådant behov även som ett antal dragare, kreatur, redskap och proviant". De uteslutna förkastade dock förslaget.

Bland dem som ett år senare förlorade sitt medborgarskap och sina rättigheter i Bishop Hill var E U Norberg. Med stöd av 1 500 namnunderskrifter som han samlat in i trakten försökte han 1857 få samfundets stadgar upphävda och egendomen fördelad på medlemmarna. Detta misslyckades dock. Norberg karaktäriserar kolonins reglemente som "en lag, som nu står som ett vanskapligt vilddjur, trotsigt höjande sina sju huvuden över folkets vilja, för att söndersarga individens rättigheter och mänsklighetens billigaste anspråk".

Sysslomännen ingrep också i familjelivet. Efter mönster från shakersekten och på initiativ av Nils Hedin infördes celibat 1854. Det tillämpades emellertid endast en kort tid på grund av det häftiga motstånd beslutet väckte bland kolonins ungdomar. Många av dem lämnade Bishop Hill av detta skäl. Flera skilsmässor uppstod mellan makar där bara den ena parten, vanligen kvinnan, önskade stanna kvar eller inträda i kolonin. Till detta steg hade de ofta uppmuntrats av sysslomännen som hade behov av arbetskraft till den expanderande verksamheten.

För att försvåra möjligheterna för utomstående att få information om förhållandena i kolonin beslöts 1856 att personer som besökte Bishop Hill inte fick övernatta hos släktingar och vänner utan var tvungna att ta in på hotellet. Om det inte fanns plats där skulle sysslomännen erbjuda annat husrum. Beslutet kan även ha haft ekonomiska orsaker. Man var mån om att få betalande gäster till det nyligen uppförda hotellet.

Stora och mäktiga handelsprinsar

I en paragraf i stadgarna förtydligas kolonins målsättning: "Vår egendom, arbete och avkastningen därav skall utgöra en gemensam fond genom och med vilken det skall vara sysslomännens skyldighet att uppgiva, underhålla och tillfredsställa personliga behoven för kolonins varje medlem, uppehälle åt ålderstigna och bräckliga, vård och läkedom för de sjuka samt begravning för de döda, ge anständig uppfostran åt våra barn, samt i överensstämmelse med den oss beviljade charter få sköta göromål och affärer, att framgång, trevnad och välgång för kolonin därigenom vinnes."

Intet nämns varken här eller på annan plats om att fullfölja Erik Janssons missionsverksamhet. Det fanns inte heller någon förordning för det andliga livet inom kolonin. För de nya herrarna i Bishop Hill var de världsliga uppgifterna viktigast. Kolonins affärer blev nu allt mer omfattande, med Olof Johnson som drivande kraft. Snart nöjde man sig inte med att enbart investera i egna företag i Bishop Hill. Man satsade också, utan att medlemmarna underrättades, stora summor i olika projekt. Men styrelsen skaffade också betydande inkomster till kolonin genom det entreprenadkontrakt som slöts när en järnväg drogs genom trakten.

Det brukar ibland sägas att det var Bishop Hills kvinnor som räddade samhället och dess mäktiga byggnader. De motsatte sig nämligen bestämt att järnvägen skulle gå fram till Bishop Hill och en station anläggas där. I stället hamnade den några kilometer längre bort, där en stad snart växte fram, uppkallad efter Gävle, de flesta jansoniters utskeppningshamn. Galva blev snart bygdens och Bishop Hill-svenskarnas kommersiella centrum. De ägde ett sjuttiotal tomter och flera byggnader i staden, bl a ett hotell uppfört 1854. Även i Chicago hade kolonin skaffat sig egendom och innehade drygt femtio tomter i staden vid samfundets delning. I Henry vid Illinois River byggdes ett magasin för de produkter som med pråmar skulle fraktas vidare till olika uppköpare.[7]

Under ledning av L G Lindbeck uppfördes ett större magasin i Galva. Där lagrades kolonins varor, innan de på den nyanlagda järnvägen forslades till St Louis, New York eller ännu längre bort. Då Axel Adelswärd tittade in i byggnaden, låg där "många tusende skinkor, insaltade och uppstaplade i högar".

*I Galva ägde erikjansarna flera fastigheter, bl a affärshuset ovan.
Stationen togs i bruk 1871 då Bishop Hill fick järnvägsförbindelse med Peoria och Rock
Island. Passagerartrafiken upphörde på 1930-talet.*

Under en kort tid utgavs tidningen Den svenske republikanen i Galva som länge dominerades av svenskar. 1895 var drygt 1 000 av stadens ca 2 600 invånare födda i Sverige eller barn till svenskar. Många ättlingar till de tidigaste svenska invandrarna är bosatta där, men bara ett fåtal kan numera tala svenska.

Lyssna till folkets röst

De goda konjunkturerna under Krimkriget stärkte Bishop Hills ekonomi. Priserna steg på kolonins jordbruksprodukter och hantverksalster och samtidigt ökade produktionen. Tillgångarna blev allt större. Vid ett sammanträde i januari 1857 kunde man besluta "att sända pengar till nödlidande i Sverige som genom religionsförtryck och lagtvång blivit ruinerade på sin egendom och samvetslugn". Enligt redovisningen för år 1858 var kolonins egendom värderad till 719 000 dollar. Allt tycktes gå den nya ledningen väl i händerna.

Då man endast två år senare fattade beslut om att upplösa egendomsgemenskapen hade detta främst ekonomiska orsaker. I Krimkrigets spår följde en världsomfattande konjunkturnedgång med katastrofala följder för Bishop Hill, vars ekonomi inte var tillräckligt solid för att bära de stora förluster som den djärva handelspolitiken medfört. Då sysslomännen nu, utan att höra de övriga i gemenskapen, upptog stora lån, försämrades situationen ytterligare men blev först så småningom mer allmänt känd bland kolonisterna.

Vid upprepade tillfällen försökte folket förmå styrelsen att avge en fullständig redovisning över den ekonomiska situationen. Ofta uteblev sysslomännen från de sammanträden där denna fråga skulle behandlas, vid andra gav de medvetet felaktiga uppgifter och redovisade falska bokslut.

Då kritiken mot de sju sysslomännen kulminerade 1860, beviljades Norberg på nytt medlemskap i kolonin och övertog sitt gamla uppdrag som sekreterare vid de sammankomster som nu hölls med täta mellanrum. Vid en av dessa beslöt medlemmarna att överlämna en klagoskrift till styrelsen. I den heter det bl a: "Den missbelåtenhet, som i synnerhet under senaste året uppskakat folkens sinnen, har genom sysslomännens handlingssätt ... uppnått en sådan höjd att kolonin nu uppgiver allt hopp att tillfredsställelse och stillhet någonsin kan återställas ... Många års erfarenhet har visat sysslomännens obenägenhet att lyssna till folkets röst. Kolonin har tröttnat att vidare anropa sysslomännen. Slaven tigger måhända om rättvisa som nåd men den frie medborgaren fordrar den som sin ovillkorliga rättighet och oavhänderliga tillhörighet."

I fortsättningen tas några av de punkter upp där man anser att styrelsen gått utöver sina befogenheter, varigenom de gjort "kolonin misstrodd och misskänd och förslösat sin kredit och det anseende vartill kolonins medlemmar igenom deras arbetsamhet varit berättigade". Sysslomännen har, summerar man, uppträtt som allsmäktiga enväldshärskare och "behandlat medlemmarna mer som tjänare än som medlemmar av samma korporation", varför de förklaras vara avsatta från sina befattningar.

Sysslomännen nonchalerade emellertid skrivelsen liksom den samma år antagna stadga som upphävde förordningen från 1853. De nya bestämmelserna inskränkte avsevärt sysslomännens befogenheter. De kunde inte längre göra större transaktioner, utan att "först kolonin däröver blivit hörd vid allmänt möte" som hädanefter skulle hållas en gång i månaden. Genom stadgan att alla som i fem år tillhört kolonin skulle få ersättning för utfört arbete om de önskade lämna den, accepterades i realiteten samfundets delning.

En vild och oförståndig spekulation

Till en av sammankomsterna inställde sig efter flera kallelser två av sysslomännen, bland dem Jonas Olsson. Denne förklarade, att "kolonins finansiella ställning var sådan att kreditorerna voro färdiga att genom lagsökning uttvinga sina fordringar". Han fritog sig från allt ansvar härför och lade liksom övriga kollegor hela skulden på Olof Johnson, som i fortsättningen ständigt utmålas som den huvudansvarige vilken "obehörigen tillägnat sig förvaltningen och kontrollen av kolonins syssla och affärer och handlat utan att överlägga eller rådgöra med sina medsyssloman".

Det finns flera, säkerligen överdrivna historier om hur Olof Johnson handskades med kolonins tillgångar. Då han var i Washington i affärer, skall han tänt sin cigarr med brinnande dollarsedlar och i en tidningsartikel berättas om hans sammanträffande 1859 med en slavägare i en spelhåla i New York: "Slavägaren förlorade sägs det 16.000 dollar. Det gör ingenting, sade han. Jag har 500 svarta slavar i S. Carolina. Olof Johnson, som också hade otur, sade då. 500 slavar i en slavstat! Vad är det mot mig, som har två gånger så många vita slavar i Illinois."

Den 14 februari 1860 fattades beslut att all egendom skulle delas i två huvudlotter, inom vilka delningar sedan gjordes mellan de personer som tillhörde respektive grupp. Jonas Olsson stod i ledningen för den grupp som hade önskat att kolonin skulle leva vidare som ett ekonomiskt kooperativ. Den andra parten, ledd av Olof Johnson, hade pläderat för att all egendom skulle delas mellan kolonins medlemmar.

Skiftet utfördes på grundval av värderingar gjorda av sakkunniga, ett komplicerat företag över vilket Olof Johnson och övriga syssloman märkligt nog tilläts ha ett stort inflytande. Att på ett rättvist sätt fördela den stora arealen jordbruksmark var svårt, ännu besvärligare var det att skifta den egendom som bestod av verkstäder, större maskiner och dylikt.

Efter delningen flyttade många familjer och enskilda från Bishop Hill, och på olika håll i Västern uppstod samhällen befolkade av f d kolonister. Andra byggde egna hus inne i samhället eller etablerade sig som bönder i omgivningen. De flesta, särskilt gamla och ensamstående, bodde kvar i de stora kollektivhusen och delade på ansvaret för ytterväggar, tak och annat som var gemensamt. Det ledde snart till att underhållet försummades. Byggnaderna tog också skada av att källarvåningar byggdes

*Då kolonin upplöstes 1860 fördelades all egendom mellan medlemmarna. Många läm-
nade Bishop Hill, men de flesta äldre bodde kvar i de gamla kollektivhusen.*

för förvaring av bl a matvaror. Under kolonitiden fanns inget behov av
sådana utrymmen, eftersom varorna magasinerades i Storbyggningens
källare. Ännu i början av 1970-talet hade några av de gamla byggnaderna
flera delägare.

Vid delningen medgav styresmännen att kolonins skulder uppgick till
118 000 dollar. Eftersom tillgångarna 1860 värderades till ca 600 000, var
situationen ingalunda katastrofal. Då det emellertid senare visade sig att
styrelsen förteg vissa fakta och att skulderna var betydligt större, blev det
nödvändigt att göra flera utdebiteringar bland lottägarna. En fullständig
redovisning av den ekonomiska situationen lämnades trots detta inte av
sysslomännen, och år 1868 stämdes de på initiativ av E U Norberg. En
långdragen och uppslitande process inleddes. Den avslutades först 1879
utan att någon ställdes till svars. Processen hade då dragit mycket stora
kostnader. Det uppges att kolonins totala skuld därigenom ökat med mer
än en halv miljon dollar till nära 673 000, varav 413 000 erlades i kontan-

Människor och miljöer i Bishop Hill kring sekelsk
Överst t v indian vid järnvägsstationen, mannen i
ten nederst t h är Lars Söderquist, en av konstrukt
na till Tornbyggningens klocka. Nederst t v på n
sida Jonas Olsson.

ter och 260 000 i fast egendom. Det var inte underligt att dess konsekvenser under lång tid lade en förlamande hand över Bishop Hill och skapade bitterhet och motsättningar bland befolkningen.

I ett brev berättar E U Norberg om rättegången och summerar: "Bishop Hills historia skulle kunna framställas som ett fullkomligt motstycke till fru Stowes Onkel Toms stuga, eller Negerslaveriet i de södra staterna."

Överdriften är karaktäristisk för Norberg. Yttrandet är färgat av hans personliga inställning till sysslomännen, vilka ju hade sett till att han uteslutits ur gemenskapen. Bakom anar man en maktkamp mellan de av Erik Jansson redan i hemlandet utvalda ledarna och den tidigare länsmannen från Västergötland som emigrerade till Amerika 1842, men som först 1848 blev medlem av kolonin. Sjömannen J E Liljeholm, som under flera månader arbetade tillsammans med Norberg, ger inte särskilt smickrande upplysningar om dennes verksamhet före Bishop Hill-tiden.

Eric Aline kallar Norberg en processmakare och menar att rättegången aldrig borde ha kommit till stånd. För den skull är han inte okritisk mot skötseln av kolonins affärer: "Det var en vild och oförståndig spekulation som var orsaken till kolonins undergång. Vi hade repat oss och kommit i goda omständigheter efter koleran, och då ville Olof Johnson att vi skulle låta pengarna arbeta, så skulle folket slippa arbeta så hårt ..."

Den stora processen och den ytterligare splittring som den åstadkom mellan Bishop Hills invånare påverkade allt liv och arbete i det förr så blomstrande samhället. Produktionen i smedjan och de andra verkstäderna upphörde, och ingen var intresserad av att i annan form fortsätta driften där eller vid ångkvarnen som ju tidigare gett goda inkomster. Sågarna stannade, bageriet och bryggeriet sattes ur funktion och de många vävstolarna tystnade nästan helt. Ute på fälten upphörde den intensiva odlingen i samfälld form och även boskapsskötseln minskade i betydelse. Den storslagna byggnadsverksamheten avstannade, även om många nya hus uppfördes i trakten.

Då Charles Nordhoff på 1870-talet granskar den svenska drömmen i Illinois är nedgången ett faktum: "De flesta husen är inte längre bebodda. Det finns flera affärer, men de större byggnaderna behöver repareras. Affärsverksamheten har koncentrerats till Galva. Det är på det hela taget en melankolisk historia."[9]

Människor och miljöer i dagens Bishop Hill.

Lantbrukaren

Antikvarien, krukmakaren och arkivarien.

Kvastmakaren

Olof Krans-museet

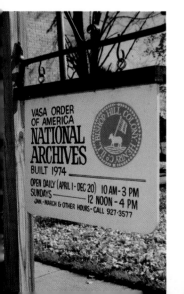

Intill Tornbyggningen ligger de två tegelbyggnader där kolonin hade sina verkstäder.

Flera av de hus som uppfördes efter 1860 har restaurerats under senare år av inflyttade personer. Detta byggdes 1862—63 av Swan Swanson, en av kolonins styresmän med ansvar för bl a dess butik och postkontor.

Kulturarvet

Under stora ansträngningar och många motgångar hade Erik Janssons vision förverkligats. Men hans skapelses livslängd blev kort och gemenskapens sammanbrott uppslitande. När samfundets ledare var borta och tron inte längre förenade anhängarna, blev en önskan om personlig frihet allt starkare. De unga som växte upp i kolonin hade svårt att anpassa sig till de krav som ställdes på dem och acceptera den intolerans som karaktäriserade erikjansismen. Det är troligt att kolonins livslängd blivit kortvarig, även om dess ekonomiska framgångar hade fortsatt.

Då den ekonomiska katastrofen tycktes vara ett faktum och förtroendet för de styrande undergrävt var samfundet dödsdömt. På kort sikt hade man förlorat. Men sett i ett vidare perspektiv hade Erik Jansson och hans trogna inte misslyckats. Deras insats blev bestående.

Under de knappt femton år Bishop Hill existerade som en koloni, åstadkoms storartade ting av dess medlemmar och de handlingskraftiga och intelligenta personer som stod i ledningen för emigrationen och skapandet av församlingens Nya Jerusalem. De var pionjärer som bröt mark och uppodlade landet. På den glest bebodda prärien vid Mississippidalen förverkligade de sin utopiska dröm. De var framgångsrika jordbrukare och deras boskap ansågs vara den bästa i trakten. De var duktiga hantverkare och företagare som sålde plogar och vagnar över stora delar av landet. De anlade kvarnar och sågar, startade tillverkning av tegel i stor skala, tog upp kalkstensbrott och kolgruvor. De investerade i järnvägar och banker samt byggde ett handelscentrum i Galva. De var framgångsrika i allt som de företog sig. I kampen mot hunger, död och förtal lyckades de förverkliga sin idé och skapa det samhälle som Erik Jansson drömt om för sin förföljda församling.

Framgångarna berodde på deras djärvhet och initiativkraft, så också gemenskapens sammanbrott. Över den finanskris som skakade USA 1857 hade de ingen makt. Om denna aldrig inträffat hade styrelsen förmodligen prisats för sin framsynta ekonomiska politik och Olof Johnson betraktats som dess geniale organisatör.

Erikjansarnas utflyttning var den första större svenska emigrationen till Förenta Staterna. Breven hem till Sverige och den diskussion som fördes i pressen om deras samfund gjorde tusentals svenskar intresserade av Amerika. Många lämnade hemlandet och några kom till Bishop Hill. Men de flesta fortsatte vidare västerut eller stannade i New York eller Chicago.

Numera råder inte samma tystnad i Bishop Hill som när jag för nära trettio år sedan första gången vandrade in i samhället. Tidigt på våren börjar de första gula skolbussarna anlända och står snart i långa rader framför

Tornbyggningen. Barn från andra delar av Illinois och från Iowa på andra sidan Mississippi fyller kolonisternas gamla park med liv och äter sin matsäck under de träd som L G Lindbeck 1857 planterade och "riktade in öst och väst ... i nord och söder". De tittar kanske på de monument som restes där 1896 till 50-årsminnet av kolonins grundläggning och tre år senare över inbördeskrigets offer, innan de drar vidare till hotellet med dess vackra möbler från kolonitiden eller museet med Olof Krans märkliga målningar.

Sommartid händer det att svenska musikgrupper och körer kommer på besök och framträder på scenen i parken, en rekonstruktion av den musikpaviljong som uppfördes 1860.[1] Musiken hade en viktig plats i livet i Bishop Hill vid denna tid, vilket Jonas Berggrens fonografinspelningar i parken med Bishop Hill Quartett och Lindbecks familjeorkester vittnar om.

Intresset för Bishop Hill är numera stort i Sverige. Många hälsingar och upplänningar söker sig till Bishop Hill och Galva eller till någon annan av de många platser i västra Illinois där erikjansarnas ättlingar är bosatta. Ett par svenska resebyråer har också börjat arrangera turer till Bishop Hill, dit man tar sig med buss eller bil från Chicago på knappt tre timmar. Det finns tyvärr inget hotell i Bishop Hill eller Galva, men däremot i de närbelägna orterna Kewanee och Galesburg.

När jordbruksdagarna anordnas och "Old Settlers Day" firas på hösten fylls Bishop Hill av människor. Då får korgmakerskan, keramikern och de andra hantverkarna i samhället god avsättning för sina varor. Till julmarknad och lucia eller när julotta firas i kolonikyrkan, kommer besökare också långväga ifrån. Flera privatägda bostäder har rustats upp och förvandlats till souvenirbutiker eller konsthantverksaffärer. I andra inryms nu restauranger, där både typiska amerikanska rätter och köttbullar med lingonsylt serveras. Det har gett orten liv. Blågula flaggor syns i samhället, där man numera är stolt över sin svenska bakgrund.

Bishop Hill Heritage har förlagt sin butik till den gamla koloniaffären som delvis störtade samman 1969 och fick mig att inse att också Sverige borde ta ett ansvar för att bevara Bishop Hill. Byggnaden återuppfördes med bidrag från bl a Gustaf VI Adolfs fond för svensk kultur. Detta uppmärksammades i USA och medverkade till att staten Illinois, federala myndigheter och olika amerikanska fonder anslog medel till byggnadsvård i Bishop Hill. Detta arbete har även stötts av den svenska regeringen och av fonder och företag samt enskilda personer i vårt land.[2]

Staten Illinois har satt kolonikyrkan i stånd och påbörjat ett långvarigt arbete för att återge hotellet dess forna glans. Den tegelbyggnad som rymmer Olof Krans livsverk uppfördes till Nya Sverige jubileet 1988 och ansluter på ett fint sätt till den omgivande miljön liksom centralarkivet för Vasaorden i Amerika, invigt 1973. Koloniskolan underhålls av Old Settlers, en förening som bildades i samband med Bishop Hills 50-årsjubileum 1896. För de flesta övriga byggnader från kolonitiden har Bishop Hill Heritage ansvaret. Men föreningen har en bräcklig ekonomi. Nya ansträngningar måste till för att fortsätta det restaureringsprojekt som på-

En höstdag i Bishop Hill 1994. I mitten kolonitidens hotell.

börjats för att bevara Tornbyggningen, butiken, verkstadsbyggnaden, sjukhuset, mejeriet och det stora bostadshuset intill hotellet.

Ron Nelson, ättling till en av de första kolonisterna, var under flera år anställd av staten Illinois som antikvarie och ansvarig för restaureringen av kyrkan, senare också av hotellet. Som ordförande i Bishop Hill Heritage och dess tjänsteman ledde han det omfattande arbetet med att restaurera de många byggnader som tillhör denna förening, tidvis i nära samarbete med Ray Pearson, svenskättling och professor i arkitektur vid Illinois Institute of Technology, Chicago. Sedan Pearson avlidit 1986 och Nelson lämnat sina uppgifter i Bishop Hill saknar Bishop Hill egen antikvarisk expertis.

En ruinerad plats ämnad till bostad åt Guds folk

Efter vårt besök hösten 1994 på den plats i Massachusetts där det utopiska samhället Brook Farm låg, for vi vidare till shakerkolonierna Sabbathday Lake i Maine, Canterbury i New Hampshire, Hancock i Massachusetts och Pleasant Hill i Kentucky. Vi kom till perfektionisternas Oneida i New York State, till de av tyska invandrare grundade kolonierna Zoar i Ohio och Amana i Iowa samt besökte Nauvoo. Vår färd till de mest bekanta av dessa "communal societies" slutade i harmonisternas Economy och den under 1700-talets senare hälft grundlagda kolonin Ephrata, båda i Pennsylvania.

Koloniernas gamla byggnader var överallt i gott skick och de miljöer de bildade välhållna. För samhällenas fortlevnad har historiska föreningar, religiösa samfund, universitet eller, som i Pennsylvania, delstaten tagit vetenskapligt, publikt och ekonomiskt ansvar.

Sedan 1969 är Bishop Hill ett "Illinois State Historic Landmark", vilket innebär att platsen spelar en viktig roll i Illinois historia. 1984 betonades samhällets nationella betydelse då "Bishop Hill Colony Historic District" vid en högtidlig ceremoni i närvaro av amerikanska och svenska dignitärer och efter beslut av den federala regeringen förklarades som "National Historic Landmark". Detta är den mest prestigefyllda utmärkelse som en amerikansk kulturmiljö kan tilldelas, men den ger tyvärr inte några ekonomiska resurser som garanterar att den yttre miljön bevaras.

Bishop Hills betydelse som ett kulturminne och turistmål av nationell dignitet betonades 1994 av The New York Times. I tidningens söndagsnummer den 23 oktober fanns en två sidor lång artikel om Bishop Hill, "A Little Bit of Sweden in Western Illinois".

Trots det ökande intresset för Bishop Hill har problemen där växt under senare år. Åtskilliga äldre privatägda bostäder har visserligen rustats upp, bl a det hus som 1847 byggdes för Erik Jansson och hans familj. Men flera av de stora tegelbyggnader som ger samhället dess unika karaktär hade åter börjat förfalla.

"Det vore en hugnad", säger Jonas Olsson, kolonins ledare under dess sista tio år, "om vi på vår ålderdom kunde undkomma att bliva åsyna vittnen till den förstöring varmed den sista tiden hotat oss, och att efterkommande, sedan vi gått till våra fäders grav, fick hava ädlare föremål, vid blicken kastad på flydda dagar, än att se en ruinerad plats, som var ämnad till bostad åt Guds folk".

Bishop Hill får inte bli den ruin som Jonas Olsson med en sådan bävan talade om. För detta måste också Sverige känna ansvar. Bishop Hill är det värdefullaste svenska byggnadsminnet utanför vårt lands gränser, en omistlig del av både det svenska och det amerikanska kulturarvet.

Målaren från Bishop Hill

Dagen innan Bishop Hill skulle fira sitt 50-årsjubileum den 23 september 1896, kom ett brevkort till postkontoret i samhället med följande rader:

Galva 22 Sept. 1896
Mr Myrtengren
Mina bilder äro alla färdiga och jag hoppas att ni kan be min bror Peter eller någon annan att komma och hämta dem tidigt i morgon bitti. Jag vill frakta dem säkert och har fernissat ramarna så kom inte med en liten vagn.
O. Krans

Nästa dag anlände Olof Krans med målningarna till Bishop Hill tillsammans med sin yngre bror Peter som var engagerad i festkommittén. Organisatör och huvudtalare vid jubileet var John Root, son till den man som sköt Erik Jansson.

I Tornbyggningen hade två rum gjorts i ordning för att visa en del "koloniminnen", gamla plogar, spinnrockar, kaffekvarnar, lampor och andra föremål, alla försedda med ägarens eller donatorns namn. Där ställde också Olof Krans ut sina målningar. De väckte stor uppmärksamhet och en av de lokala tidningarna skrev: "Olof Krans är värd mycket beröm för de trogna återgivningarna av gamla koloniscener i en serie stora målningar. De första jordkulorna äro återgivna ur minnet och efter uppmätningar. Det finns scener från jordbruket med sådd, skörd, pålning etc. Samlingen är mycket intressant och förtjänar att visas i en permanent minnesutställning..."[1]

Vem var Olof Krans?

I den skrift som gavs ut i samband med 100-årsjubileet finns bilder av de gamla pionjärer, "Old Settlers", som deltog i jubileet 1896. På ett gruppfotografi med "Young Settlers", dvs de som kom till Bishop Hill som barn, känner man igen Olof Krans. Han är 58 år och bär sitt karaktäristiska bockskägg och långa mustascher. Händerna är lutade mot en spatserkäpp med guldkrycka.[2]

Olof kom till Bishop Hill 1850 som 12-åring från Sälja by i Nora socken, Uppland tillsammans med sina föräldrar Eric Olsson och Beata Persdotter, tre yngre bröder och två systrar. Föräldrarna var hängivna erikjansare. I faderns fem bevarade brev hem till Sälja 1850–1854 får man en god bild av pionjärlivet i Bishop Hill. I dessa skymtar också Olof, som

121

snabbt lär sig engelska. Han vaktar sädesfälten i utmarkerna, blir oxpojke, smedhalva och så småningom elev hos målaren Olof Hansson. Denne hade som främsta uppgift att måla de vagnar och kärror som kolonin tillverkade.[3]

1854 dog Eric Olsson hastigt, bara några veckor innan hans far och syskon anlände till Bishop Hill.

I handlingar från Olofs korta militärtjänstgöring 1861–62 under amerikanska inbördeskriget har han yrkesbeteckningen smed. Han kallar sig nu Krans, efter sin farfar som var soldat i Sverige. På grund av kronisk bronkit och svagt hjärta hemförlovades Olof från armén. Men han stannade inte länge i kolonin som nu var stadd i upplösning.[4]

En tid reste Olof Krans runt med en fotograf. Han gick senare i målarlära i Galesburg, där han gifte sig. 1869 slog han sig ner i Galva, dit många från Bishop Hill hade flyttat. Där gjorde han reklam för sig som "Hus och skyltmålare och konstnärlig tapetserare".

Krans specialitet var marmoreringar, men han gjorde också mycket annat för att försörja sin familj. Han målade hus, väggar och staket, gjorde målade ridåer och kulisser till samlingslokaler och skyltar till affärer i trakten. För brandkåren i Galva, där han var medlem, målade han både brandhjälmar och brandposter. I en dramatisk bild skildrar Krans en brand i Galva. Han fick i uppdrag att måla bilder av älskade hundar och kopiera bilder av hjortar för spiskransen. Han kopierade populära färglitografier i tidskrifter och almanackor. Krans hade nu blivit en typisk amerikansk "House, Sign and Fancy-Painter".[5]

Primitiv konst eller folkkonst?

Naiv, primitiv, folklig, populär eller provinsiell? Hur skall man rubricera den målarkonst som Olof Krans företräder? Ordet naiv betyder okonstlad, barnslig och även ursprunglig, naturlig. En gemensam nämnare för naiva målare är att de inte valt konstnärens yrke. De har ofta haft måleri som hobby för att så småningom, ofta vid hög ålder, uteslutande ägna sig åt sitt konstnärskap.

Olof Krans självporträtt med palett pryder omslaget på den belgiske konsthistorikerns Albert Desnoys stora verk *Exégès de la peinture naive*. I boken diskuteras skillnaderna mellan europeisk och amerikansk naiv konst. I USA kallas denna hellre primitiv konst, folkkonst eller "nybyggarkonst" (pioneer art). Villkoren för de amerikanska primitiva målarna skilde sig från de naiva målarnas i Europa. I de vidsträckta nykoloniserade stater där många av dessa kringresande målare verkade saknades en konstnärlig bildningstradition och inga normer existerade för hur konsten skulle se ut. Detta gav deras bilder en glädjefylld, nästan anarkistisk estetik. Måleriet är ibland oemotståndligt friskt och oskuldsfullt, befriat som det var från den europeiska konstens inflytande. Desnoy påstår till och med att den amerikanska naiva konsten har en betydligt större friskhet och originalitet än den europeiska.

"Young settlers", gruppfoto taget vid Bishop Hills 50-årsjubileum 1896. Längst t v i andra raden Olof Krans med käpp i handen.

Olof Krans som 30-åring. Foto Carl M Sanders, Galva, ca 1870.

Ett bra exempel på detta måleri är Olof Krans självporträtt med palett, anser Desnoy.

För de naiva målarna från 1700-talets slut och fram till 1800-talets mitt använder man i USA gärna det ålderdomliga ordet "limners" – illuminerare. Primitiv blev därefter det etablerade amerikanska begreppet för verk av konstnärer utan formell utbildning. Senare har man i USA övergått till termen "folkkonst", som t ex Roger Cahill (1932) definierar som "den okonventionella sidan av amerikansk konst". Fortfarande finns ett visst motstånd mot att inordna de "primitiva" målarna under begreppet folkkonst och vissa amerikanska samlare vägrar att låna ut sina primitiva målares verk till museer eller utställningar där de skulle kunna hamna under ett så nedsättande samlingsnamn som folkkonst.[7]

Krans porträtt av sig själv i uniform från inbördeskriget ("Olof in his Union Suit", s 127) är ett utmärkt exempel på äkta amerikansk folkkonst. Det är målat 1908, då han var 70 år. Som förlaga till sitt ansikte på bilden använde Krans ett ungdomsfoto. Målningen är dekorativ, nästan pedantisk i sin detaljrikedom. Vinklarna på ärmarna anger att Krans hade sergeants grad, skärpspännets US blänker i bildens mitt, liksom GAR-knappen (Grand Army of the Republic) ovanför ränselns korslagda bröstremmar. Geväret med bajonett är exakt lika långt som soldaten själv.

På huvudet bär Krans en skärmmössa med kompanibeteckningen D. De mörka ögonen under raka ögonbryn står i givakt liksom soldaten själv. Han påminner om en tennsoldat eller någon av de soldatfigurer som var populära som vindflöjlar eller leksaker. Bara de stora, egensinniga mustascherna bryter diciplinen.

Befolkningen i Bishop Hill var patriotisk, och till inbördeskriget mönstrades nästan ett helt kompani under befäl av kapten Eric Forsse. Det hade beteckningen D och införlivades med 57:e Illinois Regiment. Olof Krans bar stolt sin GAR-knapp och GAR-medalj, så fort han fick ett tillfälle. De återkommer på alla självporträtt och fotografier från senare år.

Bishop Hill-sviten

Den svit målningar som Olof Krans ställde ut under Old Settlers Day 1896 med "trogna återgivningar av gamla koloniscener" kan ses som en hyllning till "Bishop Hill Colony" och dess medlemmar.

Prärien har en viktig roll i dessa målningar. Krans målade prärien som han upplevt den under sina första år, med en oändlig, svagt böljande horisont och svartbruna, gröna eller gula fält allt efter årstiden.

Populärast blev nog målningen "Bishop Hill 1846". Till skillnad från övriga bilder i sviten bär den målarens egen titel och signatur.[8] Den reproducerades i Chicago-tidningen Swedish Tribune och diskuterades säkert livligt under jubileet. Alla hade hört berättas om kolonins första hårda år, några hade fortfarande egna minnen från dem. Jonas Olsson, kolonins

Självporträtt med palett

Ungdomsfoto av Olof Krans använt som förlaga till "Olof in his Union Suite".

starke man efter Erik Jansson, deltog själv i jubileet sittande i sin rullstol. Han var då 94 år gammal.

Målningen visar de jordkulor där kolonisterna bodde den första tiden. Som de flesta amerikanska pionjärer grävde man in sina bostäder i en sluttning för att få jordvärme och skydd mot vinterstormarna. Virke till timmerkojor var det ont om på prärien.[9]

Längs en ravin, som går diagonalt genom målningen, ligger en rad kojor i sluttningen. Deras framsidor och delvis även långsidorna är timrade. Taken består av torv och har en skorsten längst in mot jordvallen. På andra sidan ravinen ligger ytterligare några kojor av vilka man endast ser taken. En bro korsar ravinen och bakom denna skymtar fler jordkulor, ett större korsformat timmerhus (kolonikyrkan) och tre mindre av ljus tältduk täckta byggnader. Intill dessa ligger ett antal hus uppförda av torv och trä (se s 50–51).

I målningen "Prärien bryts" (Breaking Prairie) skär de stora plogarna – The Prairie Queens – upp präriens tjocka grästorv och fram kommer den feta, brunsvarta myllan. Två män plöjer med var sin stor hjulplog, tecknade i minsta detalj. Varje plog dras av sex par oxar. Prärien var svårbrukad och många starka oxar behövdes för att bryta upp grästorven. På målningen ser man också några mindre figurer, fyra oxpojkar, liksom männen iförda stora halmhattar. En av pojkarna snärtar till mot sina oxar, en annan låter piskan vila mot axeln. Olof Krans hade själv gjort tjänst som oxpojke i kolonin och han kände arbetet väl. Varje oxpojke hade hand om tre spann och det var en ansvarsfull uppgift (se s 84–85).

"Olof in his Union Suite"

Sådden

Som ett mönsterband tvärs över den ändlösa prärien på målningen "Sådden" (Sowing) går sju män bakom var sin plog dragna av hästar. Nu är prärien uppbruten och kan bearbetas med mindre plogar.

Tre män i mörka kläder och svarta hattar går med stora steg bredvid varandra över det nyplöjda brunsvarta fältet och sår. De har säden i säckar som hänger tvärs över högra axeln. Deras högerhänder strävar alla bakåt i en avslutad koordinerad såningsrörelse. Man sådde vete eller lin, två växter som var mycket viktiga för kolonis ekonomi.

I nedre högra hörnet står en kvinna, klädd som kolonins övriga kvinnor i lång linneklänning, solhätta och förkläde. Hon har en lång käpp i sin högra hand och vänder sig mot betraktaren. Till utseende och gestalt liknar kvinnan Olof Krans syster Kate (Karin), som hjälpte honom att minnas pionjärtiden i Bishop Hill (föregående uppslag).

Säden står flimrande gul på prärien i "Skörden" (Harvesting). Horisonten ligger högt och lätta moln tornar upp sig mot en blå himmel. De sju männen som slår arbetar i taktfast precision och är identiskt klädda med rödbrokiga dukar om halsen. Den närmaste har uppkavlade ärmar. Deras liar med mejbåge (cradles) samlar upp säden, så att den hamnar i en jämn

Skörden

130

Majsen sätts

sträng på marken till vänster bakom varje slåtterkarl. En bit bakom männen går tolv kvinnor och binder säden till skylar. De håller inte samma takt och arbetar med olika moment: samlar, binder, knyter, reser. Kvinnorna är klädda i långa kjolar och blusar, alla enfärgade, de flesta blå, några med vita blusar. Alla har solhättor som även skyddar nacken. I ett brev från Bishop Hill 1848 sägs att 34 karlar samtidigt slog vetet och att två kvinnor samlade upp efter varje slåtterkarl.

Många anser att "Majsen sätts" (Corn Planting) är Olof Krans bästa målning. Den visar kraften och viljan hos kolonisterna som tillsammans planterade majskorn efter majskorn, rad efter rad på sina vidsträckta fält. Majsen var för dem en ny gröda som symboliserade Amerika och gav dem välstånd. 24 kvinnor står på linje bakom ett rep. En man i varje ände håller repet spänt med hjälp av en käpp som nedtill har en pinne som stöd och måttstock. Varje kvinna har en plantkäpp som hon sticker ner vid de röda markeringarna på repet. Käppen är försedd med ett märke som anger hur djupt majskornen skall sättas.

Alla är klädda i fotsida klänningar i skiftande nyanser av blått och brunt med åtsittande liv och långa fårbogsärmar. De bär solhättor knutna under hakan och de flesta har vita dukar om halsen. Deras långa vita för-

131

Kvinnor pålar

kläden är uppvikta under midjebandet, så att de bildar en påse för majs-
kornen, öppen i båda ändarna. Männen har arbetskläder och bär hatt.

I en intervju från 1968 berättar Emil Eriksson, vars föräldrar utvandra-
de från Nora socken så sent som på 1880-talet:

"Då sätta dom in två eller tre korn och så steg dom på det med foten
och så vände dom foten lite ser du, och då var det i ordning första rad.
42 tum mellan raderna och 42 tum mellan plantorna. 42 tum på alla håll.
Så bli raderna rätt på alla håll och så dom kunde köra tvärs över eller hur
dom ville med deras redskap till och plöja cornen. Dom som plantade
var unga jäntor som var vig och kvick. För det var inte hårt arbete, men
du ser dom var kvicka dom de unga jäntorna, det var ingenting för dem
till att bocka sig så där inte."[10]

"Kvinnor pålar" (Women driving piles) är en höstbild från Bishop Hill.
Några kvinnor håller på att påla en bro över Edwards River. De arbetar
med en pålkran (hejare) och drar tillsammans upp den tunga klumpen,

som när den faller driver pålen allt längre ner i botten. Arbetet var tungt och kvinnorna underlättade arbetet med ramsor som "Här går en, här går två". De har långa kjolar, tröjor, förkläden och schalar i mörka nyanser av blått, brunt och gråsvart.[11]

Till vänster om bäcken breder prärien ut sig i långa, låga, höstbleka kullar, till höger är kullarna trädbevuxna. På dess högra sluttning ligger en timmerstuga innanför en inhägnad, en del av en svingård. Under de låga taken vilar stora grisar medan andra står på planen med trynena vända mot kojan. "På får och svin hade de icke någon räkning", skriver en besökare i Bishop Hill 1847.

Pionjärporträtt

När man fram till 1988 kom in i kolonikyrkans bottenvåning, möttes man av rader av allvarligt blickande män (och några kvinnor), samtliga målade av Olof Krans från 1890-talet fram till hans död 1916. Alla porträtten utom ett (av fadern) är målade efter fotografier.

Många amerikanska konstnärer upptäckte vid denna tid att de inte kunde tävla med fotografiet och sökte sig därför till andra arbetsuppgifter. Andra höll sig kvar i yrket genom att erbjuda det som fotografin inte kunde ge – färg, stort format och möjligheten att avbilda inte närvarande familjemedlemmar, även de avlidna. En del konstnärer lärde sig att kombinera målning och fotografi.[12]

Redan på 1860-talet insåg Olof Krans fotografins möjligheter och han arbetade vid flera tillfällen som medhjälpare i kringresande eller fasta fotoateljeer. Bishop Hill drog till sig flera fotografer liksom Galva och andra angränsande platser. Nybyggarna ville ha familjefoton att skicka hem till Sverige. Det hände också att erikjansare skrev och bad att få fotografier från hembygden. "Det skulle vara en underlig tafla att se den der runda släta planen mellan bergkullarna med träden och husen ... samt bäcken der jag som gosse lekte och byggde vattenverk."[13]

Vid slutet av 1800-talet, då de flesta andra naiva målare upphörde att måla porträtt, började Olof Krans skapa sin märkliga porträttsamling som kom att omfatta ett hundratal ansikten. Någon gång var porträtten beställda, men oftast gjorde han dem för sin egen skull. Troligen ville han föreviga alla dem som hört till kolonins pionjärer – både "old settlers" och "young settlers".

På sin utställning 1896 visade Olof Krans förutom Bishop Hill-sviten fyra porträtt av kolonister samt en anekdotisk målning "Hellbom och indianen" (s 141). Han hade troligen medvetet valt att inte visa porträtt av de sex styresmännen i "trustiesen", eftersom det kunde vara kontroversiellt. I stället hade han med sig målningar av pastor Anders (Andrew) Berglund som Erik Janssons änka utsåg till förmyndare åt sonen Eric, av sin förste lärare i målaryrket Olof Hansson, av Eric Olson från Delsbo och Jonas Hedlund.

Bland de målningar som Olof Krans 1912 donerade till Old Settlers

Fram till 1988 var Krans målningar utställda i kolonikyrkan.

samlingar i kolonikyrkan ingick ytterligare några porträtt, bl a en målning av vännen Peter Wickblom (se s 12). Innan samlingen flyttades till det museum i Bishop Hill som nu ägnas åt Krans verk, hade den utökats ytterligare och består i dag av 92 porträtt.[14]

De tidigaste porträtten målade Krans i bröstbild. På de senare avbildade han endast personens ansikte för att slippa måla armar och händer. Olof Krans var bättre på landskap än på anatomi.

När man jämför porträtten med deras förlagor, ser man hur Olof Krans framhäver ögonen genom att lägga dem något djupt. Blicken riktas som regel mot åskådaren. Iris är rund, pupillen stor på samtliga porträtt. Ljus speglar sig i ögonen och vitorna är påfallande vita. Partiet runt näsa och mun är förstärkt med beslutsamma linjer. Även den minsta haka ser fast och bestämd ut på hans porträtt. Olof Krans har hittat en målarkod som han sedan envist håller fast vid.

Olof Krans tyckte mycket om att måla mustascher, polisonger och skägg i alla fasoner. Själv vårdade han omsorgsfullt sina stora buffelhornliknande mustascher och sitt bockskägg. En skämtsam journalist från Times som besökte Bishop Hill vid kolonins 90-årsjubileum 1936, skrev att konstkritiker hade flockats till Bishop Hill, eftersom man upptäckt att den gamla kolonikyrkan hyste nationens största och hårigaste samling av pri-

Överst: Olof Olson och Jacob Jacobson. Underst: Olof Broline och Swan Swanson.

mitiva porträtt: "Eftersom Bishop Hills män var stora individualister som sällan rakade sig så är galleriet inte bara historiskt utan även skäggologiskt (barbarylogically) anmärkningsvärt."[15]

Kvinnoporträtten är få. De flesta är målade inom en oval ram. Några kvinnor vänder lite av profilen mot betraktaren, men Charlotta Lovisa Root (se s 93) och Mary Malmgren Olson tittar rakt fram. Båda intar en central plats i Bishop Hills historia.

Mary Malmgren, det första barnet som föddes i jordkulorna i Bishop Hill julen 1846, är en stilig dam. Hon bär en rikt dekorerad sidenklänning med brosch och halsband. Håret ligger uppkammat i sidvalkar. Ögonen, näsan och hakan är förhållandevis små i ett i övrigt stort ansikte. På ett

135

Mary Malmgren

foto som Krans använde, när han avbildade Mary Malmgren, ser man att han avstått från att måla hennes smilgropar och alla skrattrynkorna kring ögonen, kanske för att porträttet skulle få ett värdigare uttryck.

Beata PersDotter

Olof Krans bästa porträtt är de fyra bilder som han målade av sin mor Beata Persdotter, när hon var 85 och 88 år gammal. Hon avled 1906 vid nittiofem års ålder. Samtliga har fotografier som förlagor.

Beata Persdotter Krans kom till Bishop Hill strax före jul 1850 tillsammans med sin man Eric Olsson och deras sex barn. Det yngsta föddes i Gävle bara några dagar innan färden till Amerika påbörjades och det äldsta, Olof, fyllde 12 år under överresan. I ett brev till Sverige 1851 berättar Eric Olsson "att det var många som ömkade sig öfver hennes olyckliga resa, men hon var ej något besvärlig för mig, det får jag hälsa eder tilbaka alla mina vänner och bekanta..." Under hans namn har hon skrivit sitt: "Beata PersDotter".

Beata blev änka 1854 men stannade i Bishop Hill till kolonins upplösning. 1861 flyttade hon till sin dotter Kate och hennes familj i Rock Island. 1868 slog de sig alla ned i Galva, där också Olof hade bosatt sig.

Dödsrunan över Beata Krans 5 april 1906 avslutas med orden: "Mrs Krans var en anmärkningsvärt väl bibehållen gammal dam. Hon hade en snillrik och solig läggning och gjorde sig omtyckt av alla..."

136

Tre porträtt av modern Beata Persdotter Krans. Bilden överst t v och den nedre finns i Chicago Historical Society (foto CHS), bilden överst t h finns i Krans-museet i Bishop Hill.

Emil Eriksson kände Beata och berättade så här 1968: "Jag var 22 år när hon dog 1906 ... Hon var vådligt kär i barn. Och jag var liten förstås och hon ville hålla mig i knät. Men jag var rädd för käringen som hin håle själv. Och hon var trevlig, hon språka och skratta, ser du. Hon var alldeles trevlig ..."

En av Olof Krans målningar av mamman är en bröstbild där hon sitter med händerna i knät. Han har haft samma problem med armar och händer som på de äldsta kolonistporträtten. Detta förstärks genom att händerna avsiktligt är starkt markerade med halvvantar av svart spets. Guldramen är dekorerad med kärleksfulla törnrosor och Beatas födelseår 1811 i överkanten och blå förgätmigej och årtalet 1899 nedtill.

Denna bild målade Olof till sin mors födelsedag och det är troligen den som tidningen Galva News nämner den 6 juli 1899: "Olof Krans målade ett helporträtt av sin moder och sistlidne måndag överlämnade han det till henne med anledning av hennes 88-åriga födelsedag."

Målningen finns nu i Chicago Historical Society som också äger en av de två versioner som existerar av Beata sittande i sin gungstol. Denna bild hör till den amerikanska folkkonstens allra finaste porträtt. Det bygger på ett ovanligt vackert foto, taget av Elbert Vannice, musiker och amatörfotograf i Bishop Hill. Troligen har fotograferingen skett hos dottern Kate i Galva inför 88-årsdagen.

Beata stickar här på en strumpa. Hon har sin svarta finklänning på sig, men bär inte guldbrosch eller hårkam. På stolsryggen bakom henne ligger en tunn spetsschal. Ansiktet är rynkigt men ögonen stora och bruna, näsan profilerad och munnen stängd. Gungstolen står på en matta med stora röda rosor och en avslutande grön bård mot den boiserade golvlisten. Väggen slutar i en tapetbård i guld och svart. Mot väggen står ett prydnadsbord med blommor.[16]

På en målning i samlingen av kolonistporträtt betraktar Beata Persdotter åskådaren från en oval ram, liknande den som Olof Krans målade på flera av kolonins kvinnoporträtt. Fotografiets trötta ögon är på målningen stora och nyfikna. Till skillnad från alla kyligt stålblå mansögon i porträttsamlingen är Beatas ögon bruna. Håret ligger slätt och mittbenat med en kam vid hårknuten. Den infallna munnen låter Olof Krans bli mer synlig utan att förändra hakans form. Näs- och hakpartiet har lättats upp och lyfts fram på det sätt som konstnären brukar. En ljus ton ligger över den svarta klänningens veck och ger en lätthet åt bilden.

Ovanför den ovala ramen står årtalen 1811 och 1906 och texten "Mrs. Beata Krans at 85" i nederkanten. Detta tyder på att porträttet redan från början var avsett för porträttsamlingen och att det fullbordades efter moderns död.

Fotografiet som är taget av George F Goodley, Galva har använts av Krans som förlaga till självporträttet i Chicago Historical Society (foto CHS).

Självporträtt

Samma år som Olof Krans målade sig själv som 22-årig soldat, gjorde han sitt berömda självporträtt som 70-åring. Det ägs av staten Illinois och är utställt i Krans-museet i Bishop Hill, en variant finns i Chicago Historical Society. Förlagan är ett fotografi, taget av George F Goodley i Galva.

Olof Krans sitter på en trästol. I sin vänstra hand håller han en palett och fyra penslar. I den högra, som är något beskuren, har han ytterligare en pensel och stöttar samtidigt paletten. Naglarna bär spår av svart färg. Medaljen från inbördeskriget är målad i detalj på västen och GAR-knappen blänker i kavajens knapphål. Ögonpartiet är utformat på Olof Krans karaktäristiska sätt. Hans varma bruna ögon betraktar allvarligt och värdigt besökaren genom glasögonen (se s 125).[17]

Husmålningar

Olof Krans var under sin livstid mer uppskattad när han porträtterade hus än när han skildrade människor i sina målningar. Många sådana bilder är bevarade, ofta i flera versioner.

Den tidigaste daterade husmålningen av Olof Krans föreställer Ovansjö by i Gästrikland och är signerad "O. Krans 1875". Det foto som Krans använt som förlaga är taget från kyrktornet, därav den ovanliga beskärning-

Hemgården i Sälja by, Uppland. Foto Chicago Historical Society.

en i nederkanten. Bakom byn ser man skogar och mjuka bergsryggar. De kärleksfullt målade gärdesgårdarna och staketen kom att bli ett av Olof Krans kännetecken liksom den lätt molniga himlen.

Byn är mycket svenskt färgsatt med alla sina prydliga trähus med vita fönsterbågar. Hjälp till dessa bilder fick målaren säkert av beställaren, en ättling till en av de erikjansare som utvandrade från Ovansjö (se s 33).

Målningen av Olof Krans hemgård i Sälja by finns i minst fyra varianter. Den Kranska släkten var stor, rötterna djupa och alla ville gärna ha en målning från hembygden. Med utgångspunkt från ett fotografi har Olof Krans målat röda timmerhus och en grå lada, gröna, steniga backar och prydliga kärvar i rader. Gärdsgårdar kantar tegar och tun. Varje fönsterkarm är fint utpenslad, varje timmerknut och tegelpanna syns. Valet av färger och detaljernas utformning måste konstnären ha diskuterat ingående med mor Beata, syster Kate och kanske brodern Peter som var 10 år gammal när familjen lämnade Sälja.

Den troligen första tavlan i serien är signerad "O Krans" och daterad 1900. Målningen har ännu inte fått de starkt dekorativa drag som återfinns i övriga bilder. Skogen kryper här långt in i bilden. Staketen slingrar sig mjukare och sädesskylarna på fältet är tufsigare och står inte konstfärdigt flätade i raka rader som på de andra varianterna.[18]

Huset där Olof Krans föddes står numera på hembygdsgården i Tärnsjö, Nora.

Två målningar av kyrkor är bevarade ur Krans rika produktion, båda i flera versioner. Den ena visar familjens hemkyrka i Nora (se s 17), den andra kyrkan i Alfta (se s 22), den socken som mer än något annan kom att påverkas av erikjansarnas utvandring. På målningen från Alfta kan man se hur exakt Olof Krans återgav sin fotografiska förlaga. De resta stegarna mot kyrkans tjärade spåntak, korsen mot kyrkväggen och den omsorgsfullt lagda kyrkmuren finns med. Med särskild glädje tycks han ha tagit sig an trästaketen som bildar en dekorativ labyrint i förgrunden. Bakom kyrkan ligger då som nu ett par byggnader med pampiga glasverandor och torn. Men fotografiets grå vårvinter med snörester intill kyrkmuren har Krans omvandlat till en sommarbild med grönt gräs i förgrunden och utslagna björkar runt kyrkan. Över målningen välver sig en av Olof Krans specialhimlar med soluppgång som förstärker intrycket av en stilla söndagsmorgon, innan gudstjänsten skall börja.

Genremålningar

En målning av Olof Krans som väckte stor uppmärksamhet på Bishop Hill-kolonins 50-årsjubileum 1896 var "Hellbom och indianen". Den bygger på en populär skröna från pionjärtiden, då Nils Hellbom sägs ha skrämt iväg en indian genom att ta på sig sin buffelpäls och skrika "You want my scalp too?"

Hellbom och indianen

Indianerna var emellertid sedan länge trängda västerut bortom Mississippi, när svenskarna grundade Bishop Hill. Hellbom var, liksom Olof Krans, en god historieberättare som underhöll på många möten med Old Settlers. Krans var en jovialisk och skämtsam person, en god sångare och en "fritänkare". Till skillnad från de flesta övriga svenskar som röstade republikanskt var Krans medlem av "demokratpartiet".

"Hellbom och indianen" är ett av Olof Krans bidrag till en berättande eller illustrerande bildgenre som blev allt populärare under 1800-talets senare del. I USA kom perioden senare att lite nedlåtande kallas "The Chromo Civilization" (Oljetryckens tid). Nya och billiga trycktekniker kunde nu tillfredställa längtan efter bilder hos en bredare publik. Ur pressarna strömmade oljetryck, konstreproduktioner, bokmärken, klippark, pappersdockor, modejournaler, annonser, vykort, affischer, kalendrar och pop-up-böcker. Bildflödet kunde vara både inspirerande och förödande för sentida folkkonstnärer som Olof Krans. Inspirerande eftersom det fanns många nya bilder som kunde användas som förlagor, förödande eftersom deras konstnärliga kvalitet ofta var låg.

En av Olof Krans populäraste målningar, som ibland felaktigt har räknats in i Bishop Hill-sviten, är "Före ovädret" (It will soon be here). Den fanns inte med på utställningen 1896, men ingick i donationen 1912. Bilden vi-

Före ovädret

Från strand till strand

sar två oxpojkar intill sina djur som är spända framför höskrindor. Dessa håller på att lastas av ett par män. En kvinna och en man tar emot höet. Det är alldeles för få människor på bilden, för att den skulle kunna skildra höskörd i Bishop Hill. Männen är dessutom mörkhåriga och de är inte klädda som kolonisterna.

Framför allt är gärdsgården inte av prärietyp. Den är lagd i sicksack i en mer skogrik amerikansk bygd än Illinois, kanske i Minnesota. Bilden kan inte heller vara målad efter en svensk förlaga där "skehagarna" hade ett helt annat utseende. Troligen har Krans inspirerats av en bild i en almanacka eller tidskrift, vilket den anekdotiska titeln tyder på. Det som fångade hans intresse i förlagan var säkerligen oxpojken som lutad mot en av sina skyddslingar och med den långa piskan i handen vänder sig mot åskådaren.

Målningen "Från strand till strand" har ibland antagits föreställa Erik Jansson och hans lärjungar när de lämnar hemlandets kyrka bakom sig och blickar framåt mot sitt Nya Jerusalem. Det nordliga landskapet, båttypen och de tidstypiska kläderna har ansetts stödja den tolkningen. Men Krans har mycket noga kopierat förlagan som är en färglitografi av Clarence M Donell, publicerad av E O Allen & C (Augusta, Maine). Den kallas "From shore till shore" och är en symbolisk bild av livsresan.[20]

En annan av Krans ofta reproducerade genremålningar har tidigare kallats "Christofer Columbus upptäcker Amerika". Båtens drakhuvud, sköldarna längs relingen och andra detaljer tyder emellertid på att den är ett vikingaskepp, medan männen på målningen tycks höra hemma i en helt annan kultur än den nordiska.

1893 firades 400-årsminnet av Columbus upptäckt av Amerika med en stor världsutställning i Chicago. Den 13 juni detta år anlände ett vikingaskepp från Norge till USA efter 44 dygns seglats och väckte stor uppmärksamhet. Det skulle påminna utställningsbesökarna om att vikingarna hade varit i Nordamerika 500 år före Columbus. Olof Krans hade säkert många bilder av detta skepp att välja mellan som inspiration till sin målning.[21]

Olof Krans var nyinflyttad i Galva, när en stor brand härjade staden 1872. Han deltog själv i släckningsarbetet. 25 år efteråt gjorde han målningen "Galva brand 1872" med ett foto av staden Galva före branden som stöd för minnet.

Resultatet blev en mycket dramatisk målning med ett myller av människor. Krans frossar i svarta figurer som belyses av elden. Som vanligt har han ägnat stor omsorg åt huskonstruktioner och fönster. Alla skyltar går att läsa. Längst ner till höger i bilden har han målat sin lilla hund som brukade följa med honom till eldsvådor.

Branden förstörde hela norrsidans affärsdistrikt med 21 byggnader som innehöll 30 affärer, verkstäder och kontor samt lägenheter för 13 familjer. Elden började i posthuset på Exchange Street (i bildens mitt) och spred sig över gatan till Front Street. Den fortsatte längs denna gata och till kvarteret bakom. I stadens brandförsvar fanns bara tio stegar och fyra yxor. En liknande brand härjade Galva i januari 1879 och förstörde då 10 fastigheter. Den ledde till att en frivillig brandkår om 30 man bildades. En av dessa var den då 40-årige Olof Krans.[22]

Den 13 juni 1892 hemsöktes Galva av en cyklon. En tidningsfotograf tog dagen efter bilder av förödelsen. Med hjälp av dessa målar Krans sexton år senare "Galva Cyklon 1892" (s 146). Målningen omnämns i lokalpressen i Altona, dit Olof Krans och hans hustru flyttade 1903:

"O. Krans från denna stad visar på en utställning en fin målning gjord av honom själv från Galva cyklonen 1892, som han själv upplevde. Den visar tydligt regnet och hagelskuren, lika väl som de flygande bräderna och vagnarna. Den är en ära för honom som målare."

Det mittersta huset träffas av en blixt, samtidigt som cyklonens virvelvind sliter i det. Himlen är svart av hotfulla moln där den inte lyses upp av blixten.

I källarvåningen till det hus som på målningen träffas av blixten hade Olof Krans sin ateljé sedan kvarteret byggts upp efter bränderna på 70-talet. Ovanpå låg postkontoret, där Olof Krans ibland ställde ut sina målningar. Huset ägdes av Jonas Olson, som kom till Bishop Hill 1846, som

Vikingaskepp

Galva brand 1872, detalj

Galva cyklon 1892. Foto Olov Isaksson.

Branden närmar sig. Foto Merle Glick.

treåring. Han var son till Olof Olson, den man som planerade emigratio-
nen och valde ut platsen för erikjansarnas stad.

Krans var fascinerad av dramatiska händelser och använde ofta bilder i
populärpressen av skogsbränder som förlagor till målningar, som t ex
"Approaching Fire" (Branden närmar sig) i Lakeview Museum i Peoria.
Mest intresserad tycks han emellertid ha varit av loket som är återgivet in
i minsta detalj, mindre av det som troligen är ursprungsbildens höjd-
punkt: den lilla skara människor som försöker stoppa tåget och undkom-
ma elden.

Fonder och kulisser

Den käpp med guldkrycka som Olof Krans stöder sig på i gruppfotot
"Young settlers" från jubileet 1896 var han mycket stolt över (se s 123).
Han hade fått den som erkänsla för sin största målning.

I en tidning i Galva stod i november 1891 notisen: "Medan Olof Krans
höll på att vitkalka IOOF-hallen rasade byggnadsställningen och han föll
till golvet. Han går nu på kryckor och håller gradvis på att tillfriskna." Un-
der konvalescensen fick han tillfälle att måla mer för nöjes skull. Det är
kanske nu som han började utveckla idén om en serie kolonistporträtt
och planera sin Bishop Hill-svit.

1894 var han frisk nog att påbörja ett nytt stort dekorationsarbete. Bis-
hop Hills bryggeri och bageri från kolonitiden skulle förvandlas till en
samlingslokal. Olof Krans fick i uppdrag att dekorera salen och måla ridå
och kulisser. Arbetet tog hela vintern och arvodet var 65 dollar.

Resultatet blev mycket tilltalande. Den 11 april 1895 skriver Galva
News: "Så uppskattat blev det arbete vår konstnär Olof Krans gjort åt Au-
ditorium i Bishop Hill att klubben inviterade honom söndag kväll, bjöd
på en underbar supé och förärade honom en vacker käpp med guld-
krycka och inskription."[23]

Olof Krans hade valt att på ridån låta tunga draperier inrama en pano-
ramabild över Bishop Hill 1855, då kolonin stod i sin största blomstring.
Nya bostäder, kvarnar och sågar, en stor svingård, mejeri och verkstäder
hade växt upp på kullen. Det var en imponerande syn som mötte den
som kom till Bishop Hill västerifrån över Edwards River. Olof Krans må-
lade bilden av en förverkligad dröm (se s 2–3).

Målningen har granskats och diskuterats detalj för detalj under årens
lopp och ofta reproducerats i böcker och tidskrifter. Bildens centrala del
är återgiven på ett frimärke som gavs ut till Nya Sverige-jubileet 1988. Till
höger på märket blickar Olof Krans från sitt berömda självporträtt på sin
bild av staden. Målningen har utgjort en viktig grund för kartor, bebyg-
gelseritningar, till och med restaureringar av de gamla kolonihusen.

Bilden stämmer i alla detaljer med hur byggnaderna såg ut i kolonin
vid 1800-talets mitt, då Tornbyggningens ena sida ännu var oputsad.
Byggnaden hade vid denna tid ett platt tak som måste bytas ut eftersom

Frimärke med detalj av Bishop Hill 1855 och Olof Krans självporträtt utgivet till Nya Sverige-jubileet 1988.

det läckte. Till vänster om denna byggnad ligger mejeriet och till höger de två verkstäderna och kolonins butik. Svingården, det stora ångkvarnen och kyrkan finns också med på bilden.

Ridån var målad på tre hopsydda längder segelduk och den blev hårt sliten under trettiofem års användning. 1928 höll både ridån och auditoriet på att brinna upp, då Big Brick eldhärjades. 1930 införlivades "Bishop Hill 1855" med samlingarna i kolonikyrkan. 1970 säckade den ihop av tyngd och ålder och blev några år därefter omhändertagen av staten Illinois kulturminnesavdelning. Den fick övre delen bortskuren, spändes, ramades och restaurerades. I dag hänger den på hedersplats i Krans-museets entré.

Olof Krans var med all rätt nöjd med sitt verk. 1911 gjorde han för eget bruk en kopia av ridån i staffliformat efter ett fotografi. Även denna målning finns nu i Krans-museet i Bishop Hill.

Före det stora uppdraget i Bishop Hill hade Olof Krans målat ridå och dekor i Galvas operahus. 1897 färdigställde han ridån till auditoriet i Osco, inte långt från Galva. Motivet var där "Autumn Black Hawk 1897", ett panorama över en populär nöjesanläggning vid de branta strandklipporna i Rock River.[24]

Olof Krans målade många ridåer och kulisser till samlingssalar i de små prärieStäderna i Illinois. De flesta har skattat åt förgängelsen, så som ofta sker med brukskonst. Kvar finns troligen bara "Bishop Hill 1855" och några rester av "Black Hawk 1897". Ibland kan man på ett gammalt fotografi skymta en fond från en fotoateljé i Galva, Galesburg eller Bishop Hill som troligen målats av Olof Krans.

Olof Krans och världen

Olof Krans är på många sätt unik bland amerikanska folkkonstnärer. Han har den i särklass största bevarade produktionen av målningar, uppskattningsvis minst tvåhundra. Och han har aldrig "upptäckts", för han har aldrig varit bortglömd.

Utställningen på Old Settlers Day 1896 följdes av fler. När Olof Krans 1912 donerade hela sin samling till museet i kolonikyrkan i Bishop Hill, blev detta mycket uppskattat. Samlingen kompletterades efterhand med donationer både före och efter Olof Krans död 1916.

På den årliga "Old Settlers Day" hörde det till att besöka museet och i de historiska parader som hölls denna dag vart femte år hyllades Olof Krans på olika sätt. Flickor som agerade "Corn Planting" gick i rader eller åkte på vagnsflak, "Women Driving Piles" var oftast med eftersom den krävde färre aktörer. "Harvesting" var ett annat mycket populärt motiv. Inte sällan fanns det också i paraden en vagn där Målaren från Bishop Hill tronade med sin palett.

På 1920-talet hade Russell Trall Neville från grannstaden Kewanee skapat en betydande kollektion av foton från Bishop Hill och av hela Olof Krans tavelsamling. Bilderna kom till flitig användning och det var troligen kopior av dessa som sändes till Göteborg för att ingå i en utställning 1923.[25]

På 30-talet började Olof Krans måleri uppmärksammas utanför Illinois i och med det ökande intresset för amerikansk folkkonst. Den nu legendariske Holger Cahill, konsthistoriker och museiman, presenterade 1930 den första folkkonstutställningen "American Primitives" i sitt museum i Newark utanför New York. 1932 drog han in på Museum of Modern Art med "American Folk Art: The Art of the Common Man in America, 1750-1900". Folkkonsten blev nu uppmärksammad av konsthistoriker och kritiker och fick en allt bredare publik.[26]

1935 blev Cahill chef för "Federal Art Project", ett gigantiskt konstprojekt inom Franklin Roosevelts New Deal som sökte mildra depressionens verkningar bl a genom sociala och kulturella åtgärder. Målare, arkitekter och författare sändes ut över landet för att engagera, stimulera och dokumentera. Fotografer och folklivsforskare skildrade nöden bland de utblottade och ställde krav på sociala reformer samt en rättvisare fördelning av samhällets tillgångar. Många konstnärer fick offentliga uppdrag för posthus och andra federala byggnader. Stora anslag gavs till uppsökande teater och musik. Runt om i USA växte konstskolor upp. Flera av lärarna var utbildade vid Bauhaus och hade tvingats fly från Nazityskland. I anknytning till konstskolorna utvecklades flera av USAs bästa konstmuseer, t ex Walker Art Center i svenskstaden Minneapolis.

Cahills skötebarn blev "Index of American Design", ett delprojekt med regionala centra i 32 stater. Man anställde ca 500 konstnärer som producerade över 23 000 akvareller och teckningar, alla i samma format. Projektets syfte var att ge arbetslösa konstnärer en möjlighet att överleva under depressionen och skapa intresse för amerikansk folkkonst. Konstnärerna fick i uppdrag att i akvarellteknik avbilda tusentals föremål i museer och privatsamlingar över hela USA. De bilder som samlades i "Index of American Design" skulle senare kunna ge inspiration till nyare amerikansk konst. Genom ett omfattande bildarkiv skulle samlare och museer få mer kunskap och bättre jämförelsematerial. Bilderna skulle samtidigt ställas ut på de konstcentra som uppstod genom Federal Art Project. Där skulle en bred publik få upp ögonen för sitt rika kulturarv.

I Chicago kände man till att Bishop Hill ägde en samling föremål och målningar från kolonitiden och att platsen hade en intressant arkitektur. Bland annat mättes Tornbyggningen upp för "Historical American Buildings Survey". Även författare kom till Bishop Hill för att i de guideböcker som gavs ut under projektet beskriva platsen. En av författarna blev så inspirerad av det han upplevde att han gav ut en roman om livet i kolonin.

De många avbildningar av koloniföremål från Bishop Hill som gjordes av projektanställda konstnärer förvaras nu i National Gallery i Washington. Där finns också sju kopior i olja av Olof Krans Bishop Hill-svit och två porträtt. Målningarna restaurerades i samband med att de lånades in till Chicago för att avbildas. Kopiorna är skickligt gjorda i halvt originalformat av fem olika konstnärer. Registerbladen är signerade av respektive konstnär och daterade april – juli 1939. Kopiorna lär för övrigt vara de enda i "Index of American Design" stora samling som gjordes i olja. Som historisk stil anger man "primitiv" och perioden till 1875–1895. Man uppger också att de är målade med olja på mjölsäckar, vilket inte är korrekt. Misstaget beror på att den duk som Olof Krans använde på baksidan hade en reklamstämpel för Pepperells Mills, Biddeford. I Chicago antog man att detta var en mjölkvarn. Olof Krans målade skyltar åt bl a industrimannen John H Best i Galva, som i gengäld försåg honom med bästa tavelduk med firmastämpel.[27]

Ett första resultat av arbetet med "Index of American Design" i Illinois presenterades på en utställning vid Illinois Art Gallery i Chicago. Konstkritikerna var överens om att Olof Krans var en målare som var väl värd att reproduceras för "permanent record" i " Index of American Design".

Den första större tidningsartikeln om Olof Krans återfinns i Times 21 september 1936. I raljant ton berättas om Old Settlers 90-årsjubileum. Skribenten presenterar Olof Krans som "en lätt berusad krigsveteran som började måla för att det var mindre tungt än att sko hästar" och kommenterar skämtsamt porträttens skäggmode men är full av beundran för folklivsskildringarna från kolonin.

1941 fick Margaret E Jacobson i uppdrag att skriva den första seriösa biografin om Olof Krans i Journal of Illinois State Historical Society. Den har citerats i många amerikanska konsthistorier om "Primitive Art och Folk Art".

Staten Illinois övertog 1945 ansvaret för kolonikyrkan och parken i Bishop Hill. Medan kyrkan restaurerades magasinerades Olof Krans målningar i Moline, vilket inte var särskilt populärt. Bishop Hill saknade sitt museum och sina alltmer berömda målningar, särskilt 1946 då 100-årsminnet av kolonins grundläggning firades. Två år senare fick Chicago Historical Society Museum låna några av de magasinerade målningarna för en utställning under det stora 100-årsjubileet av den svenska emigrationen till Förenta Staterna. Vid Old Settlers Day 1952 var målningarna tillbaka i Bishop Hill.

Intresset för Krans måleri ökade nu alltmer bland samlare och i museer. Chicago Historical Society köpte 1951 några av Olof Krans finaste släktporträtt och målningen av hembyn Sälja och kompletterade senare samlingen med det självporträtt han dedicerat till Lora Nyberg. På 1960-talets folkkonstutställningar var Olof Krans allt oftare representerad med målningar ur Mr och Mrs Everetts samlingar.

I utställningen "Bishop Hill – svensk koloni på prärien" på Statens historiska museum i Stockholm 1969 ingick 21 av Olof Krans målningar, däribland Bishop Hill-sviten och självporträttet med palett. Utställningen visades vid ytterligare några svenska museer och på senhösten 1970 i en mindre version på Illinois State Museum i Springfield. I kolonikyrkan i Bishop Hill fylldes under denna tid luckorna bland Olof Krans målningar med kopiorna från "Index of American Design".

Olof Krans biografi

1838	den 2 november föds Olof, son till Eric Olsson och Beata Persdotter i Sälja by, Nora socken, Uppland.
1850	reser familjen med barnen Olof (12 år), Peter (10), Karin (8), Eric (5), Anders (3) och Anna Elisabeth (några dagar) med skeppet Condor från Gävle till New York och vidare till Bishop Hill. Resan tar 15 veckor.
1854	dör fadern i Bishop Hill. Olof arbetar som oxpojke, snickare, målare och smed i kolonin.
1861–62	Olof i militärtjänst, byter namn till Krans.
1868	gifter sig med Christine Aspequist i Galesburg efter några kringresande år som kontorist, fotograf och målare.
1869	flyttar till Galva som målare och tapetserare.
1875	signerar målningen från Ovansjö by, "A village in Sweden".
1879	blir medlem i Galvas frivilliga brandkår. Målar kulisser och ridå till Galva Opera House som uppförts efter branden 1879.
1880	omnämns som "god skylt-, porträtt- och landskapsmålare" i Johnson & Peterson Svenskarne i Illinois.
1890	signerar målningen av Nora kyrka.
1891	ramlar ned från en byggnadsställning.
1894–95	målar ridån "Bishop Hill 1855" till en samlingslokal i Bishop Hill.
1896	ställer ut Bishop Hill-sviten och fyra kolonistporträtt samt "Hellbom och indianen" på Old Settlers Day.
1897	målar "Galva Fire 1872".
1897	målar ridå och kulisser till samlingslokal i Osco med motiv från Black Hawk State Park.
1899	målar det första stora porträttet av sin mor Beata till hennes 88-årsdag.
1903	flyttar från Galva till grannstaden Altona.
1906	dör modern 94 år gammal.
1908	målar "Galva Cyklon 1892".
1908	målar "Olof in his Union suit" och självporträttet med palett.
1910	signerar målningen med emigrantfartygen Condor och Gävle.
1911	målar en kopia i staffliformat av ridån "Bishop Hill 1855".
1912	donerar sin samling kolonimålningar och porträtt till Old Settlers.

1916	den 4 januari dör Olof Krans 77 år gammal.
1920-talet	skapar R T Neville från grannstaden Kewanee en kollektion av foton från Bishop Hill och Olof Krans tavelsamling.
1923	sändes några kopior av fotografierna till Göteborg för en utställning.
1936	artikel i Times (21/9) om skäggiga kolonistporträtt.
1938–43	Index of American Design arbetar i Chicago. WPAs utställning i Chicago.
1941	Margaret Jacobsons biografi över Olof Krans publiceras i Illinois State Historical Society.
1944	fotografier av Olof Krans målningar återges i Life Magazine den 7/2.
1945–1952	förvaras målningarna i Moline när kolonikyrkan restaureras.
1946	Old Settlers firar 100-årsjubileet av Bishop Hills grundande.
1948	några målningar ställs ut i Chicago Historical Society i samband med Swedish Pioneer Centennial.
1950	fem målningar (Breaking Prairie, Sowing, Hellbom och indianen, Beata Krans och Självporträtt med palett) reproduceras i Lipman & Winchester *Primitive Painters in America 1750–1950.*
1964	målningarna Breaking Prairie, Sowing och Corn Planting visas vid en folkkonstutställning i Henry Fordmuseet, Dearborn, Michigan.
1965	några Olof Krans-målningar ur Everetts samling visas i utställningen "Arts and Crafts of Old Illinois" på Illinois State Museum, Springfield.
1966	en folkkonstutställning anordnas i Time-Life Building, New York med två Olof Krans-målningar ur Everetts samling.
1967–68	görs en genomgång och fotografering av Bishop Hill och Olof Krans målningar av Olov Isaksson och Sören Hallgren, Statens historiska museum, Stockholm.
1969	öppnar Gustaf VI Adolf utställningen "Bishop Hill – svensk koloni på prärien" i Stockholm med 21 målningar av Olof Krans som restaurerats av Nationalmuseum, Stockholm.
1970	visas en mindre variant av utställningen på Chicago Historical Society och Illinois State Museum, Springfield.
1972	utställning av folkkonst på Kennedy Gallery, New York där några målningar av Olof Krans finns för försäljning.
1976	utkommer George Swanks bok *Painter Krans.*
1982	separatutställningen "A Prairie Vision: The World of Olof Krans" på Museum of American Folk Art, New York.
1988	invigs Olof Krans-museet i Bishop Hill i samband med Nya Sverige-jubileet.
1993	köper folkkonstsamlaren Merle Glick Olof Krans porträtt av Jonas Olsson för 30 000 dollar vid en auktion i Galva.
1996	öppnas en utställning om den svenska utvandringen till USA på Nordiska Museet, Stockholm; flera målningar av Olof Krans ingår i utställningen som senare visas på Ellis Island, New York.

Drömmen om ett himmelrike på jorden

Den 15 januari 1824, en blåsig dag, lämnade en yngre tjänsteman med osäkra framtidsutsikter den svenska huvudstaden. Carl Jonas Love Almqvist reste västerut.

I Värmland bytte resenären kläder och benämning. Kanslisten vid Ecklesiastikexpeditionen förvandlade sig till "dannemannen Love Carlsson". Almqvist ville komma bort från den förkonstling som följde med det administrativa och intellektuella livet, snirklarna och fraserna i de renskrivna handlingarna, instängdheten bland abstraktioner och de solkiga kompromisserna. I stället ville han leva i en nära, innerlig gemenskap med likasinnade, i en avskildhet men med inriktning på livets väsentligheter. Med en sådan dröm hade han umgåtts länge, och tanken på en flyttning från huvudstaden hade också diskuterats bland vännerna. Man lär ha övervägt att resa längre västerut, till Norge eller rentav till Nordamerika.

Almqvist och hans åsiktsfränder byggde en liten utopi i de "omätliga" Värmlandsskogarna. Men ur sin dröm om "ett stilla fromt Lefnadssätt, arbetsamt och i Vänners krets" kom de snart att väckas av verkligheten. Tillströmningen av kolonister och sammanhållningen inom gruppen blev inte vad man tänkt sig. Tudelningen mellan nybyggarnas arbete för uppehället, på åker och i timmerskog, och för "Ideer, läsa och skrifva" blev också konfliktartad. I augusti 1826 tvingades diktaren ge upp och återvände nedslagen till Stockholm.

Almqvists värmländska episod är ett skede i en stor rörelse under 1800-talets första hälft. Den utgick från föreställningar om ett förlorat tillstånd av harmoni, i samklang med naturen. Genom att gå tillbaka ville man gå framåt, befria människan från förtryckande samhällsband och civilisationens onatur. Troende småfolk och högstämda idealister från de övre samhällsskikten drömde om en himmel på jorden, och inte så få försökte omsätta sina drömmar i praktisk handling. Bäst kunde visionerna av en bättre framtid förverkligas i de obegränsade möjligheternas land på andra sidan Atlanten.

Almqvist, Amerikaresenär på 1850-talet då hans liv blivit en mardröm, är en av föreläparna inom denna utopiska tradition.

Utopi, i tanke och dikt

Begreppet "utopi" har för många i dag en diffust negativ innebörd. Utopier är byggnader som välmenande idealister reser åt mänskligheten i sina drömmar, men som folk med bägge fötterna på jorden kallar för luft-slott. Ett utopiskt projekt är en vacker tanke som inte går att förverkliga. Den politiska utopin framstår i vår tid inte bara som opraktisk utan också som dubiös, fläckad av 1900-talskommunismens förbrytelser. En modern fransk författare, Gilles Lapouge, noterar att "idealsamhället" inte tillhör denna världen utan är någonting hinsides och drömartat, samt att mänskligheten borde ha sluppit "dessa lysande samhällen som oundvikligen förfaller till despotism, vanvett, tortyr och folkmord, dessa stater som lovar att utrota ondskan på jorden men som i själva verket utlämnar den åt det onda".

Utopins försvarare kunde med samhällsforskaren Lewis Mumford invända att "det är våra utopier som gör världen uthärdlig för oss". Enligt Anatole France skulle vi utan utopin och utopisterna "fortfarande leva i grottor". Varje framsteg kräver en vision, och genomgripande förändringar kan inte genomföras utan en inriktning på det omöjliga, på det som i ett visst skede verkar ouppnåeligt för de flesta. För övrigt stelnar varje tankebyggnad och system, politiskt, ekonomiskt eller andligt, ifall omprövning och nytänkande inte är tillåtna. Alternativet till utopin är stagnation, ett evigt status quo.

En utopi kan vara en djärv konklusion av aktuella tankegångar, det tankesprång från nuets ståndpunkt som de flesta inte vågar ta. I stället för det skändliga samhälle i vilket utopisten framsläpar sina dagar tecknar han konturerna till en gemenskap där sanning och förnuft, välstånd och tolerans råder. Det är en vision som flammar upp under århundradena i diktning, filosofi och religiös spekulation och som benämnts Guldåldern, Tusenårsriket, Det nya Jerusalem, Det nya Atlantis, Arkadien, Eldorado eller Kastalien. Det är visioner av en skimrande framtid eller ett skimrande förflutet, ibland av en tillvaro som är samtidig men belägen något vid sidan om, ett land som siktas från ett skepp som drivits ur kursen av vinden. Den fantastiska berättelsen var vanlig redan under antiken och erbjöd ett utmärkt kamouflage för samhällskritikern. Det osannolika var en skyddsfärg, och under den kunde ärendet döljas. Dessa fiktiva skildringar uppvisade, ofta i ironisk snedbelysning, en kontrast mellan välbekanta missförhållanden och det tänkta rike där människor funnit mer förnuftiga former för samlevnaden.

En idémässig utopi kan vara en diffus bild av någonting bättre och skönare men också en i detalj utförd planritning till ett alternativt samhälle. Det finns en hel litteratur av sådana tankeväckande utopier, med Thomas Mores *Utopia* (1516) och Tommaso Campanellas *Solstaten* (1602) som de klassiska urkunderna, en genre för sig, diktverk och statsvetenskaplig studie på en gång. En återkommande svårighet i dessa humanistiska traktater tycks vara att finna en rimlig avvägning mellan frihet och ett slags ordning, mellan individens behov och reglementets krav.

Till det gemensamma för de utopiska skrifterna av detta slag hör en pedagogisk moralism med pedantiska förhållningsregler och ett beskyddande tonfall. Humor är här en sällsynt gäst. Det kan bränna till, när uto-

Drömmen om en fullkomlig tillvaro på jorden. Ur David A Moores The Age of Progress, 1856.

pisten belyser sin egen tids förhållanden; då tenderar filosofprosan att övergå i satir. Det utpekade alternativet, bilden av en bättre värld, blir däremot ofta ganska glasartat, på en gång diffust och orörligt. Även om alla invånare i dessa förnuftsrepubliker har sin försörjning säkrad och ett rimligt mått av fritid, i Solstaten arbetar medborgarna bara fyra timmar per dag, kan läsaren i den antiauktoritära utopin uppfatta ett auktoritärt drag. Det finns ibland en iskyla i den heta elden hos dessa som drömmer om Mänsklighetens befrielse.

En ny Himmel och en ny Jord

Historiskt sett har de flesta utopier drömts och byggts i gränsskeden, då människor har känt sig särskilt förhoppningsfulla eller förtvivlade.

Man kan misstänka att en del av utopins teoretiker i praktiken, som styresmän över ett verkligt samhälle, hade utvecklats till små despoter. I det tidiga 1800-talets verklighet blev utopin dock oftare trivialiserad än brutaliserad. När den steg ned på jorden från idéernas himmel, visade den sig vara behäftad med de vanliga mänskliga svagheterna. Bara de ledande utopister som i sitt handlande tog hänsyn till bristerna i människans karaktär, inte minst till den sociala känslans nyckfullhet hos de flesta individer, hade någon framgång. De som utgick från att människan är ädel och god, dådkraftig och oegennyttig blev besvikna. Friheten krävde

155

organisation, ett visst överenskommet tvång. Av utopiernas historia framgår också att de mest framgångsrika hade starka ledargestalter. *Bishop Hill* är ett av exemplen på denna regel.

Utopier i verkligheten är ett vanskligare men också intressantare kapitel än utopier i fantasin och teorin. Det finns en rad konkreta exempel som visar på det äventyrliga i att göra verklighet av människans vackraste drömmar eller som antyder oprövade möjligheter, viktiga för andlig frigörelse och materiella framsteg. De flesta är från USA och 1800-talets första hälft. Förenta staterna kan betraktas som en förverkligad utopi i stort format. Denna statsbildning erbjöd trosfrihet och öppna vidder att röja och odla. För miljoner fattiga och betryckta blev den ett "drömland" som genom hårt arbete kunde bli en befriande verklighet. Människor med stark religiös eller politisk övertygelse utvandrade till Nordamerika, därför att världsliga och kyrkliga myndigheter i Den gamla världen uppfattade deras kompromisslösa tro på ett nytt Jerusalem eller en ny Människa som en utmaning mot statsmakten. Många hade med våld hindrats från att forma sin ideologiska gemenskap efter den ingivelse de ville följa.

För en av de första kolonisterna i Massachusetts framstod Nya England som "den plats där Herren kommer att skapa en ny Himmel och en ny Jord". Detta var ett land där allt var möjligt, inte bara i materiellt avseende. Väckelserörelsernas bekännare var fyllda av en stormande visshet att en ny tidsålder snart skulle randas i frihetslandet, och det fanns svärmare som föreställde sig att Jesus Kristus skulle återfödas i Amerika. Tanken på Förenta staterna som något unikt i historien, omvälvande och vägledande, fick också officiella uttryck. På unionens sigill stod den högtidliga devisen *Novus Ordo Seclorum*, En ny seklernas ordning.

Djärva tankar, extrema idéer, stora sanningar

Efter kriget mot kolonialmakten, kungariket England, befann sig vid 1800-talets början de fria Förenta staterna i huvudsak ännu i ett naturtillstånd, en vildmark med enstaka gläntor av odling. 1810, då denna förbundsstat hade närmare åtta miljoner invånare, var bara en miljon människor bosatta väster om Mississippi.

1840 levde fortfarande nio av tio amerikaner på landsbygden. Det var strax innan de första svallvågorna av immigranter sköljde in från det utarmade och despotiska Europa och före de stora städernas våldsamma tillväxt. I de tidigt koloniserade delstaterna på östkusten rådde det vid denna tid en uppbrottsstämning, en optimism med en orolig underton, frihetens timma grydde eller världens slut nalkades. Dessa kollektiva känslor bildade en gynnsam jordmån för djärva tankar och extrema idéer. Det var nu som en ung man, Joseph Smith, sade sig ha funnit guldtavlor med en hemlighetsfull, helig skrift i en grön kulle i norra New York State. En ny sekt tycktes uppstå vid varje tältmöte. Ett vittne förklarar att väckelsen gick fram som en präriestorm, och att de ropandes och bedjandes röster var som "dånet av Niagara". Kristi återkomst och den nuva-

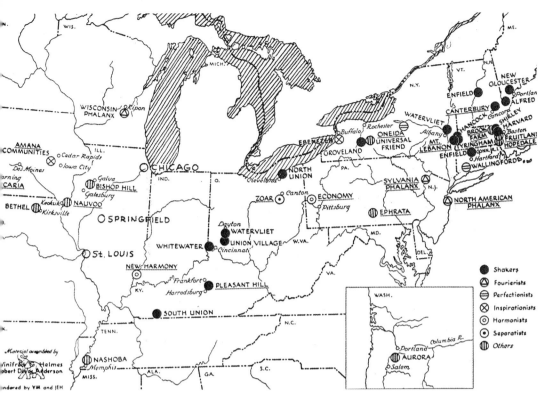

Utopiska samhällen i USA före 1860. Ur Alice Felt Taylors Freedom's Ferment, 1962.

rande världens undergång skulle enligt en andlig ledare, William Miller, inträffa den 21 mars 1843. En troende försökte på den utsatta dagen att från ett träd flyga upp till himlen men föll ned och bröt nacken. Tidpunkten för den överväldigande förändringen försköts till samma dag följande år, men miraklen uteblev även då.

Ett av denna periods andliga fenomen var en folkrörelse som byggde utopier i verkligheten. Teoretikernas fromma förhoppningar översattes i byggnader, arbetsmetoder, mänskliga relationer och en annorlunda ekonomi, eller man återinförde en äldre modell för mänsklig samvaro, de första kristna församlingarnas. Det var ett kort men märkligt skeende, en episod på några decennier, en försöksverksamhet med egendomsgemenskap och kollektiv livsföring som pekar framåt mot de israeliska kibbutzerna och de kinesiska folkkommunerna. Namnen på de utopiska samhällen som skapades talar om högt ställda förväntningar. De kunde heta Altruria, Communia, Harmony, Hopedale, Social Freedom, Modern Times, Paradise, Jerusalem och — Utopia.

Det första experimentet med en gemenskap av detta radikala slag kan dateras till 1663, då en liten utbrytargrupp av holländska kalvinister slog sig ned i Maryland. Fram till inbördeskrigets utbrott 1861 kan man räkna till närmare 200 sådana "communities", en del med en mycket kortvarig existens. Forskare har uppskattat det sammanlagda medlemsantalet till

157

Robert Owen, skotsk storföretagare och socialreformator.
Bildar 1824 New Harmony som upplöses tre år senare.
Ur Mark Holloways Heavens on Earth, 1966

mer än 100 000, och förmodar att det gick 15 à 20 sympatisörer på varje utövande utopist.

Under blomstringstiden uppfattade de fromma amerikanska kommunisterna sina samfund som bilder av "det goda samhället" eller "den sanna kyrkan" eller av båda på en gång. Den 4 juli 1826 proklamerade Robert Owen, skotsk socialreformator med världsrykte, en Andlig oavhängighetsförklaring i *New Harmony*, en utopisk koloni i Indiana. Med många utropstecken frammanar han där en svindlande vision: "Och här är vi nu, även om vi endast är att betrakta som det obetydliga senapskornet! Men med dessa *Stora Sanningar* framför oss och det samhälleliga system som vi här skall utöva, kommer våra principer, det är jag förvissad om, att sprida sig från brödraskap till brödraskap, från kontinent till kontinent, till dess att detta system och dessa *sanningar* skall överskugga hela jorden, skänkande vällukt och överflöd, förstånd och lycka till alla människor!"

Det är en förutsägelse som tiden har dementerat. Kommunismen, som lovade lycka åt alla, föreföll i några decennier att överskugga jorden. Den gemenskapstillvaro som Owen framsjunger och som vid denna tid praktiserades i små hängivna församlingar i Nordamerika skiljer sig emellertid i allt väsentligt från 1900-talets totalitära experiment. Den amerikanska kommunismen var, som en av rörelsens krönikörer noterat, "frivillig, fredlig, konservativ". Den hade sin utgångspunkt inte hos Marx och Engels utan i Apostlagärningarnas ord (Kap 2:44–45) att de troende "hade allting gemensamt" och delade med sig "åt alla, efter som var och en behövde".

Den yttre ramen

Om de yttre miljöerna i dessa experimentsamhällen är vi väl underrätta-
de, tack vare ett par vetgiriga sympatisörer som i ett sent skede av ut-
vecklingen reste runt i landet, utfrågade utopister på plats efter plats och
anställde jämförelser.

Det är en solnedgångsglans över dessa välvilliga redovisningar från
1870-talet, ett vemodigt susande av stora träd på orter där verksamhets-
ivern håller på att falna, där kvarn och såg står stilla och medelåldern
bland de trogna är hög. Experimentet har misslyckats eller är på väg att
slå fel, inte på grund av någon djupare spricka i den tankemässiga grund-
valen, utan därför att människorna inte visat sig mogna att leva i en
oegennyttig tillvaro. Dock kommer världen så småningom, det är betrak-
taren och de talesmän han möter förvissade om, att ta sitt förnuft till
fånga och följa den upptrampade stig som leder till Lycksalighetens rike.

Den yttre ramen i de utopiska samhällen som här beskrivs tycks ofta
ha varit tilltalande, med en harmoni i stadsbilden som vittnade om ett
stillsamt förnuft hos dessa drömmare. Bostäder och verkstäder var inte
sällan stramt funktionella till sin utformning. De var omgivna av träd, i
något som liknade ett parklandskap. Enligt William Alfred Hinds i *Ameri-
can Communities* (1878) påminde *Zoar*, grundat av fromma tyska invand-
rare, om "en liten stad dold i en äppelträdgård". En sådan mjuk inram-
ning till det mödosamma gemenskapslivet fann besökarna vid de flesta
av resans anhalter.

Ändå verkar intresset för det sköna inte att ha varit särskilt utvecklat
bland de amerikanska utopisterna. Det estetiska tillhörde den värld som
dessa människor lämnat bakom sig; det hade varit de privilegierades egen-
dom i det gamla Europa. En ledare bland *Shakers*, de frommaste bland de
fromma amerikanska kommunisterna, hade en mycket avvisande värde-
ring. Så här yttrade sig Frederick Evans, en personlighet med stor auktori-
tet inom sin rörelse: "Det sköna, som ni kallar det, är absurt och onormalt."

En sorts oavsiktlig skönhet tycks ofta ha kännetecknat de yttre miljöer-
na, trots Evans och andra sekterists avsmak för det som världen kallade
vackert. Förvånansvärt mycket av de amerikanska utopisternas samhällen
har också bevarats, inte bara i Bishop Hill.

Skönandar bakom plogen

Den 3 mars 1846 brann ett mer än femtio meter långt och tre våningar
högt träslott i *Brook Farm*, åtta miles söder om Boston. Den invignings-
klara byggnaden skulle inrymma ett hundratal rum, kapell och föreläs-
ningslokal, kök och en matsal med plats för 400 personer. I ett annat hus,
Bikupan, var det denna afton dans. Då larmet gick, samlades deltagarna
utanför i den djupa snön och bevittnade ett skådespel som enligt en
kvinnlig medlem var "obeskrivligt strålande", likt ett tempel av smältande

guld. Det var drömmar som brann. Nu finns här inte ett spår av bäck eller farm. Ägorna upptas av en kyrkogård som sluttar ned mot Charles River.

Brook Farm är en osynlig plats, och man kan misstänka att detta samhällsexperiment skulle vara förvisat till fotnoternas skuggrike, ifall inte en av den amerikanska nationens stora diktare hade hört till deltagarna. Under sin kollektiva tillvaro kallade han sig "Nathaniel Hawthorne, plöjare".

The Brook Farm Institute of Agriculture and Education hade sitt ursprung bland transcendentalisterna, en löst sammanhållen grupp av intellektuella i Bostonområdet, allvarliga och ansvarsmedvetna människor med svärmisk hållning i en brytningstid. Den drivande kraften bakom deras försök att i West Roxbury skapa ett mönstersamhälle var George Ripley, en prästman som enligt Thomas Carlyles sarkastiska beskrivning hade lämnat predikstolen "för att reformera världen genom att odla lök". Ralph Waldo Emerson, diktaren och tänkaren, drogs aldrig in i denna krets, men i ett brev 1840 noterade han att "vi är alla nu lite vilda", upptagna av "otaliga projekt" för reformer. Var och varannan man tycktes i dessa dagar ha en planritning "i västfickan" för en bättre värld.

Verksamheten kom i gång på våren 1841. I romanen *The Blithedale Romance* (1852) har Hawthorne skildrat sin vandring till den utvalda platsen genom en snöstorm och det trevande samtalet sedan i en värmande liten gemenskap. Kollektivet höll först till i en bondgård, döpt till Bikupan, men snart tillkom nya byggnader. En målning visar mjukt böljande fält och kullar, alléer, dungar och en samling vitmålade hus.

I romanens förord säger Hawthorne att tiden på Brook Farm var "den mest romantiska episoden" i hans liv. Här var uppgiften enligt en högtidlig avsiktsförklaring "ingenting mindre" än att "skapa en Himmel på Jorden". Ur marken skulle det stiga en söt klöverdoft, och kreaturens råmande skulle blandas med muntra människoröster. Ripleys målsättning var liksom Almqvists en kombination av intellektuell och manuell verksamhet, en förening i en person av tänkaren och kroppsarbetaren.

Från början var man cirka tjugo medlemmar och blev aldrig fler än 70–80. Besökare förundrade sig över att "kvinnor med god uppfostran" här "skurade golv och diskade tallrikar, samt att lärda män och fina herrar grävde upp potatis och mockade i stallen". Man prövade arbetsrotation, och de elever som institutet tog emot och vilkas avgifter utgjorde en viktig del av dess ekonomi arbetade även inom jordbruket och i köksregionerna. Brook Farm hade en framsynt pedagogik, och den högre undervisningen fungerade som preparandkurs för inträde vid college och universitet. Många gick vidare till Harvard.

Bland de utopiska projekten i Nordamerika hör Brook Farm med sin aktiebolagsbildning till de reformistiska. Egendomsgemenskap var det inte fråga om. En sådan skulle enligt Ripley skada individens självständighet och förhindra uppkomsten av en ädel, upphöjd mänsklighet, "i stället för de dvärglika och stympade exemplar som nu uppfyller jorden".

I sin roman tecknar Hawthorne en ganska dyster bild av det idealistiska projektet Brook Farm. Liksom huvudpersonen Miles Coverdale, en poet som inte förmår anpassa sig till grupplivet och det hårda fysiska arbetet, lämnade han samvaron efter några månader. I dagboken skrev han att mänskosjälen inte bara kan kvävas i penningens snöda värld utan också "under en dynghög eller i en plogfåra".

Emerson hade betecknat livet på Brook Farm som en "oavbruten picknick". Där härskade tolerans, också rökning och romanläsning var tillåtna. De gemensamma måltiderna lär ha varit glada tillställningar. Man dansade, musicerade och uppförde tablåer. I den tidskrift för utopister som redigerades här, The Harbinger, fastslogs att själen inte kan leva utan skönhet. På Brook Farm hade man Shakespearecirkel, diskuterade tysk filosofi och studerade i en läsgrupp *Divina commedia* på originalspråket. Sena kvällar vandrade ibland de jordbrukande skönandarna hem under stjärnorna efter en konsert i staden. Särskilt tycks Beethovens tonskapelser ha talat till deras sinnen. En historiker föreställer sig att de tolkade den femte symfonins triumfatoriska final, efter en tung, ödesmättad tredje sats, som en tondikt om deras egen kamp och deras "hopp om att övervinna ödet".

En rörelse av "associationer"

Ett par år före branden i Brook Farm hade institutet ombildats. Verksamheten lades över från jordbruk och boskapsskötsel till hantverk och småindustri, och för att stimulera produktiviteten infördes det löneskillnader i medlemskåren. En viss puritanism vann samtidigt insteg i organisationens liv; det blev fler förhållningsregler, inget kaffe till frukosten, och mindre spelrum för individen. Samtidigt skedde ett vaktombyte. Äldre medlemmar gav upp, medan nya rekryter strömmade till.

Det lilla utopiska samhället vid Charles River hade anslutit sig till den rörelse av "associationer" som inspirerats av Charles Fouriers tankar. Det kallades nu *Brook Farm Phalanx*, och trots knappa ekonomiska resurser inleddes bygget av ett ståtligt centrum för kollektivet, en "falangstär". När det brann ned, slocknade snart de hängivnas trosiver.

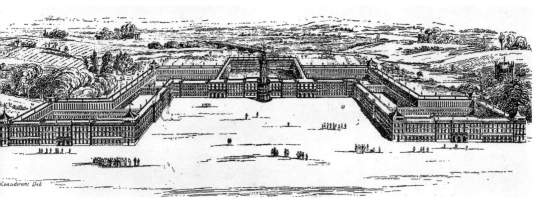

Skiss till en "falangstär" av Victor Considérant, lärjunge till Charles Fourier och grundare av ett kortlivat experimentsamhälle i Texas. Ur Mark Holloways Heavens on Earth, 1966.

Fourier hade dött 1837, en besviken man som världens store inte velat lyssna till. I USA hade den franske utopisten emellertid en lärjunge som hade suttit vid mästarens fötter och nu med outtröttlig energi gjorde propaganda för hans visioner. Albert Brisbane, en eldsjäl utan humor men med en märklig begåvning för public relation, vann en viktig allierad i Horace Greeley. Denne ställde sin tidning The New York Tribunes spalter till de fourierska idéernas och Brisbanes förfogande. (Greeley blev senare presidentkandidat för det republikanska partiet.) Tillsammans skapade dessa män på 1840-talet, under en period av allmän ekonomisk nedgång, en folkrörelse med egna konvent, en egen tidskrift och många sympatisörer bland tidens opinionsbildare. Det mesta av Fouriers besynnerligheter hade filtrerats bort av Brisbane och Greeley. De hade amerikaniserat denne filosof som predikat ett bejakande av lustprincipen och en fri utveckling av individens anlag som vägar till social harmoni.

Framgången i USA för detta vaga evangelium är ett kort men mycket säreget kapitel i landets historia. En tid existerade det cirka 40 byggande och plöjande grupper av fourierister ute på fältet, en början till de 2 985 984 falangstärer som mänskligheten enligt mästaren till slut skulle vara uppdelad på.

Praktfulla palats – och eländiga skjul

John Humphrey Noyes som ledde det ekonomiskt mest framgångsrika av de amerikanska samhällsexperimenten, *Oneida Community*, går i sin översikt *History of American Socialisms* (1870) till rätta med Fourier och "associationisterna". Han finner deras drömmar om vidsträckta domäner och väldiga allaktivitetshus enfaldiga. De flesta gemenskaper satte sig i skuld och köpte för mycket jord; sedan fanns det inga medel för investeringar i industri och handel.

I en del fall tycks visionen av framtiden ha förblindat de jordbrukande utopisterna. För *The Sylvania Association* i Pennsylvania rekognoscerade man mark innan snötäcket i trakten försvunnit och fick ett vackert läge men dålig jord. Det var en koloni som befolkades av tänkande småborgare, och deras fumlighet i det praktiska kontrasterar på ett tragikomiskt sätt mot de vidlyftiga moraliskt-politiska ambitionerna. Om dessa hette det i ett upprop: "Slutmålet är massans befrielse, de förtryckta, utsläpade miljonernas, dessa som är slavar under tvång och armod, hunger och ofrivillig sysslolöshet, okunnighet, dryckenskap och laster; samt deras höjande till självständighet, en moralisk och intellektuell utveckling."

Fouriers amerikanska efterföljare var romantiska antikapitalister som ville återvända till naturen men inte visste hur man höll i en yxa. De såg enligt Noyes "praktfulla palats på avstånd, gröna fält, gyllene skördar, spelande fontäner", men sedan förvandlades sceneriet och ökenvandrarna fann sig "buntade samman i eländiga skjul". De hade lämnat världen och flärden "för att undslippa brist, bekymmer och frestelser", men "dessa hungriga vargar" följde dem överallt. Verkligheten lät sig inte besvärjas med retorik. Det finns en skärande, nästan hysterisk underton i ett propagandatal som Albert Brisbane höll 1844. Han ber där enträget om anslutning till den goda saken och vänder sig främst till "artisterna", de rättsinniga intellektuella: "Ni män av lysande ingivelse, av hjärtats poesi, här finns en ny och ädel värld som är öppen för er. Vad gör ni i denna prosaiska värld? Känner ni er till freds i det industriella och kommersiella samhälle som ni omges av?"

Men ropen förklingade ohörda, och strömmen av medel och medlemmar till rörelsen och dess utopiska byggen sinade. På några månader var det över på de flesta håll. Falangstärens brand i Brook Farm kunde ses som en symbolisk händelse. Här var rörelsens hjärtpunkt, och nu återstod bara aska av de stolta visionerna.

En mönsteranläggning

Associationisternas förhoppningar knöts länge till *The North American Phalanx*, grundad 1843 i en naturskön trakt nära Red Bank i New Jersey och på många sätt en mönsteranläggning.

Här övervägde ledningen noga varje ansökan om medlemskap och lät sedan de nykomna genomgå en prövotid. De anslutna aktivisterna uppfattades av omgivningen som "kultiverade och raffinerade" men betraktades också som utmärkta jordbrukare. Kolonin hade stora fruktträdgårdar, och man odlade både meloner och potatis för försäljning i New York. De många besökarna berättar om unga flickor med blommor i håret, om slåtter som går som en dans, om föredrag en vacker sommardag i en lund av valnötsträd och ett läsrum med ett rikhaltigt urval av tidningar och tidskrifter. Här rådde sämja och nykterhet, man drack bara vatten till maten, och här tillämpades de fourierska principerna för lönesättning, mest åt dem som hade hårda och smutsiga sysslor, minst åt dem som fått de behagligaste arbetsuppgifterna.

Fredrika Bremer besökte The North American Phalanx i november 1849 och återkom i augusti 1851, då ett hundratal medlemmar var anslutna till organisationen. Hon uppskattade mathållningen och anslöt sig för en dag till köksgruppen där hon hjälpte till med tillagningen av boveteplättar. Fredrika Bremer var imponerad av demokratin i denna lilla republik, presidenten själv arbetade "i hvita skjortärmar midt bland sina rådsherrar", men klagar över "frånvaron af religionsbekännelse och offentlig gudstjenst". Hon hade invändningar mot dessa utopisters radikalism; de förkastade alltför mycket av tidigare landvinningar.

The North American Phalanx kom att existera i tolv år. Även där inträffade en förhärjande brand och därefter en avmattning, idealrealisation och allmänt uppbrott. Det grundläggande felet i Red Bank var enligt en bedömare motsatsen till det som utgjorde den genomgående svagheten i Brook Farm. Där hade man haft en alltför dominerande inriktning på det finkulturella, medan det i The North American Phalanx efter hand blev ett alltför torftigt liv, utan konst och vackra drömmar. Det var en skapelse som upplevde en långvarig blomstring men sedan vissnade bort på grund av bristen på andlig näring.

Ett andra Eden

Fruitlands har betecknats som en karikatyr av Brook Farm. Denna utopiska bosättning tillkom på våren 1843 utanför den lilla staden Harvard, 14 miles från Concord där Emerson residerade. Initiativtagare var A Bronson Alcott, en pedagog och filosof med en något osäker verklighetsförankring. I en avskild dalgång, skyddad mot intrång från en brutal verklighet, ville han upprätta ett "andra Eden".

Enligt Emerson var Fruitlands ett projekt "utan vare sig fötter eller händer", och det kom bara att existera till i januari följande år. Regimen var i flera avseenden extrem. De sexton medlemmarna sade nej till alla produkter från djurriket, även ull och skinn, och avstod av moraliska skäl också från att utnyttja djur som dragare, "spadbruk" skulle vara tillräckligt. Fastän jordmånen var dålig, använde man inte gödsel i åkerbruket; den tycks ha betraktats som en oren materia.

Barnen i den lilla kolonin hade en hård schemaläggning av studier och kroppsarbete och skulle härdas med kalla bad. Ett av dem, då elva år, var Louisa M Alcott, senare författare till den berömda romanen *Unga kvinnor*.

Fruitlands, i dag ett museum, låg på en sluttning i ett landskap med en vid utblick. Här måste Alcott och hans lilla församling ha anat himlens närhet och löftenas uppfyllelse i början av år 1843, innan deras skapelse förtvinade. Det bör ha varit på samma amfiteatraliska plats som det en dag under detta skede av häftiga andliga rörelser hölls ett shakermöte med 40 000 deltagare.

Ann Lee och det sexuella begäret

Shakers, eller *The Society of the Believers*, var ursprungligen en utbytargrupp ur kväkarnas samfund. I England utsattes de för förföljelse på grund av sin extatiska gudstjänstutövning. De anklagades för att vanhelga sabbaten, och deras ledare Ann Lee kastades flera gånger i fängelse samt hotades av mobben med att få sin tunga genomborrad med en glödgad spik. Efter en uppenbarelse beslöt hon att lämna hemlandet och anlände i augusti 1774 till New York med åtta anhängare. Två år senare lades grunden till den första shakerkolonin i USA, och 1798 stadfästes samfundets ledande principer. Det fanns då ett tiotal församlingar i landet, uppdelade i mindre enheter som kallades "familjer". Omkring 1800 hade sekten 1 000 medlemmar. Störst är den på 1830-talet. Från 6 000 medlemmar sjunker antalet sedan gradvis och når omkring 1900 den nivå det hade ett århundrade tidigare. I dag är rörelsen nästan utslocknad.

Ann Lee är en av historiens märkligaste religiösa ledare. Hon var 38 år då hon nådde frihetslandet, en olärd arbetarkvinna med en sällsynt utstrålning och en självfallen värdighet. Hennes valspråk säger något om hennes inriktning på väsentlighet i åskådning och liv: "Utför allt ditt arbete som om du skulle leva i tusen år; och som om du visste att du skulle dö i morgon." Tidigt knöts en väv av myter kring hennes person. Anhängare hävdade bland annat att Mother Ann behärskade tolv språk, däribland latin, grekiska och hebreiska.

I England hade Shakers anklagats för kätteri och häxeri. I det nya landet utsattes de för hot och trakasserier av uppretade folkhopar, överfall, mordbrand och fysisk förnedring. En del av dessa våldshändelser utspelade sig i trakten av Harvard där shakersekten etablerat sig 1791. Under det pågående frihetskriget anklagades Ann Lee för att vara brittisk spion, och det spreds rykten om sektens osedlighet, med dryckenskap och nakendans.

Shakers anspråk var stötande, de införde ett helt nytt gudsbegrepp och en helt ny moral. För dessa fromma var Gud bisexuell, på en gång kvinna och man. De avvisade dogmen om treenigheten och ansåg föreställningen om Kristi lekamliga uppståndelse orimlig. Mother Ann var Kristi kvinnliga inkarnation; alltså dyrkades hon som en gudomlighet, "en kvinna, som hade solen till sin klädnad", som det hette i Uppenbarelseboken. Hennes hjärtesak var, till anstöt för många, celibatet. Mother Ann talade med stor hetta mot köttets lust. Enligt henne låg den bakom allt elände i världen, hat, mord, krig och fattigdom. I sitt eget liv hade hon fått uppleva stor sorg, hennes fyra barn hade alla dött i späd ålder, en förlust som hade sin grund i det sexuella begäret. Detta var ormens huvud som, enligt en shakersång, skulle krossas. Nu talade denna kvinna om Kristus som "en älskare" och "sin make".

Mother Ann gick bort 1784. Hon och hennes efterföljare ville skapa ett himmelrike på den syndfulla jorden och leva som de apostoliska församlingarna. Deras fyra huvudprinciper var Jungfrulig renhet, Kristen kommunism, Bekännelse av synd och Avskildhet från världen. På dessa grundpelare byggdes shakersamhällena, små världar utanför världen som världen betraktade med skepsis men också med nyfikenhet och, efter hand, med respekt.

Som löv i vinden

Shakergudstjänsten hade särskilt i början starkt extatiska inslag, skakningar, spasmer, "som om lem skulle lösgöra sig från lem", och tungomålstalande. Det förekom knappast någon bön eller bibelläsning vid sammankomsterna men däremot dans, där män och kvinnor var för sig i långa rader böljade mot varandra och någon ibland bröt ut i ett häftigt virvlande, "nästan lika snabbt som ett spinnrockshjul i hastig rörelse" enligt en ögonvittnesskildring från 1782. Dansen som ritual hade stöd i Den heliga skrift; shakers räknade till nitton omnämnanden. Genom denna utlevelse skulle de trogna skaka av sig tvivel och befria sig från köttslig begärelse.

Fredrika Bremer besökte 1850 och 1851 shakerkolonierna i New Leba-

Shakers i virvlande ringdans. En framställning med drag av karikatyr. Ur Frank Leslie's Popular Monthly, 1873.

non och i Canterbury. Med en blandning av fascination och olust talar hon om de dansandes rörelser "i symmetriska rader och figurer" och om en "grundrythm", i vilken det "låg en viss liflighet, något guppande och torr-roligt". I den förra kolonin såg hon dödsbleka kvinnor, "klädda nästan som svepta lik". I Canterbury var intrycken ljusare. Där fanns bland barnen en ung lärarinna "af en sällsynt skönhet". William Alfred Hinds mötte denna ljuva prästinna nästan tre decennier senare, en inspirerad varelse som sade sig älska sitt jungfruliga liv.

Shakers visade gärna sina sällsamma ritualer för intresserade åskådare, utom under en period på 1840-talet då de drog sig helt undan från världen och, påstås det, hemföll åt särskilt extrema uttryck i sin kult. Deras sakrala rörelser har besökare beskrivit som ett virvlande av dervischer eller av "löv i vinden". Med åren blev extasen mildrad, virvelrörelserna avstannade och dansen övergick i ett rytmiskt skridande.

Till de märkliga kultiska inslagen i shakersamhället hörde också de "vision songs" eller "gift songs" som började sjungas i gemenskapen 1838 sedan några unga flickor tyckt sig höra ljuva himlaröster i skyn. Under ett par decennier skapades det tusentals sådana sånger. De har en märklig mildhet och står nära jollret och barnkammarvisan. (En del av dessa ljusa, luftiga stycken liknar William Blakes och Carl Jonas Love Almqvists innerligaste diktskapelser.) Oftast tycks de ha betraktats just som "gåvor", budskap från Mother Ann eller andra avlidna anhängare. Ingivelsen kunde också komma från världsliga berömdheter som efter döden omvänts till den sanna läran; bland dem var Washington och Jefferson, Alexander den store och Napoleon samt den grymme kejsar Nero. Ibland uttryckte sig den inspirerade på ett indianskt eller afrikanskt tungomål, på persiska eller "abessinska", kinesiska eller arabiska, grönländska eller "sibiriska". En lappländsk sång illustrerades av de extatiska utövarna med glidande benrörelser över golvet i mötessalen, som skridskoåkare över blank is.

En evig söndagsstillhet

Shakers arkitektur och möbelkonst har uppmärksammats mycket under de senaste decennierna och blivit stilbildande för modern byggnadskonst och design. Deras skapelsers rena skönhet kommer av inriktningen på funktionen, allt obehövligt avskalat, och av den vördnad för det manuella arbetet, på en gång en nödvändighet och en dygd, som fanns i shakerkulturen. (Med en sats som "Skönheten beror på användbarheten" föregriper Shakers funktionalismen.) Bruksföremålen bevarar de fromma hantverkarnas koncentration på sin uppgift. Det är inte bara yrkesskickliga händer som har format dessa ting. De bär också avtryck av själen i detta samfund, tålamodet, ödmjukheten.

Shakermiljöerna kännetecknades av en renhet i livsföring och stil. Vid städning hakades shakerstolarna upp på väggarna.

Manuellt arbete var, säger Edward Deming Andrews, den främste kännaren av Shakers, uppbyggligt både för "den enskilda människosjälen och den allmänna välfärden". Tanken på arbetet som "en helig förpliktelse" ger oss enligt Andrews "en nyckel" till Shakers hemligheter: till stillheten i deras byar, atmosfären av ordning och beständighet, till kvaliteten i deras kunnande och den respekt som dessa människor kom att vinna hos sina grannar och världen.

Charles Nordhoff noterar att "en evig söndagsstillhet" härskar bland Shakers. Fredrika Bremer anser att "dessa Shäker-samhällen äro de förnuftigaste och troligen de mest lyckliggörande af alla klosterinrättningar". Män och kvinnor bodde där under samma tak, om än i skilda delar av byggnaderna och med strikta förhållningsregler för kontakterna mellan könen. En engelsk resenär skildrar shakersamhällets yttre som en verklighet i evighetens ljus: "Gatorna är lugna, ty här finns ingen spritbutik, ingen ölstuga, ingen arrest... och varje byggnad, vad den än må användas till, tycks likna ett kapell. All målning är fräsch, alla bräder skinande, alla fönster rentvättade. Ett slags sken kringsvävar allt; ett lyckligt lugn råder i omgivningen."

Friedrich Engels utpekade Shakers som föredömen i kollektiv livsföring. Dessa fromma människor verkade i avskildhet men var inte bakåtsträvare, utan använde sig av den nya tekniken och gjorde själva en rad uppfinningar som de sällan sökte patent på. Fredrika Bremer såg vid besöket i Canterbury en stickmaskin som tedde sig "högst kuriös och litet trollaktig". I New Lebanon mötte hon rörelsens siste store ledare Frederick Evans, skeptisk till skönhet, en man som brevväxlade med Leo Tolstoj om kooperation och icke-våld och hade ett förflutet som fritänkare och socialist.

Både när det gällde anslutningen och medlemmarnas hängivenhet, hade Shakers större framgångar än de andra fromma kommunisterna. De levde i harmoni och ett visst välstånd, och deras rörelse hade en märklig uthållighet. De undergrävde emellertid sin existens genom celibatets dogm. Därför tunnades oundvikligen församlingarna ut, fastän man länge försökte motverka detta genom adoption av föräldralösa barn. Samtidigt skedde det stora förändringar i omvärlden, en omvälvning som lämnade shakerbyarna vid sidan av utvecklingen.

Ändå – Shakers hade ett alternativ, om än orimligt. Något dröjer också kvar av deras egendomliga dröm. I deras samhällen finns, trots turisttillströmningen i dag, en stämning av en säregen renhet, en aura av anspråkslös helighet.

Nästan ett och ett halvt sekel efter Fredrika Bremer kom jag en höstdag till Canterbury. I detta asketiska projekt i New Hampshires färgsprakande lövskogar upplevde jag en märklig enhet av arbete och andlighet och av byggnader och landskap. Shakers tycks ha haft en instinktiv känsla, förmedlad från generation till generation av troende, för relationerna mellan människans skapelser och naturen. Summan av detta är ett slags skönhet, ljus, värdig och allvarsam.

Shakerkolonin Pleasant Hill, Kentucky.

Ett liv i avskildhet

De amerikanska utopisternas inställning till konst och fägring var på det hela taget reserverad, med undantag för förhållandet till musiken och sången. Men de försökte inte påtvinga omgivningen sina sederegler eller sina meningar om livet på jorden och livet efter detta. De hade sin ljusa framtidstro och föreföll nöjda med att vara små senapskorn. Få kolonier var missionerande, Bishop Hill hör här till undantagen, och proselyter mottogs inte sällan med tveksamhet eller visades tillbaka.

Det finns en motsättning mellan denna slutenhet och djärvheten i de sociala experiment som bedrevs här. Isoleringen ger besked om en osäkerhet – det är som om dessa storstilade Sanningar och ädla Principer bara kunde hållas rena genom ett liv i avskildhet. Man byggde de osynliga murarna till omvärlden höga, och inkapslingen kom utopin att blekna. För utomstående kunde det förefalla besynnerligt att dessa sekterister skulle vara utkorade till att bli Mänsklighetens befriare.

Ändå verkar omgivningen oftast att ha sett på utopiernas folk med en fundersam respekt. De var idoga jordbrukare och hantverkare, fredliga, anspråkslösa och dugliga, fastän sedvänjorna kunde verka betänkliga, detta arbete utan vederlag, denna egendomslöshet och uniformitet, dessa storfamiljer och gemensamhetskök. Till utopins principer hörde att man bara i nödfall skulle leja arbetskraft; det var både en ekonomisk och en etisk tumregel. Helst borde man göra allting själv inom samfundet: smida plogen och plöja jorden, så och skörda, mala säden och baka brödet. Medlemmarna praktiserade mer eller mindre konsekvent en naturahushållning. När styresmännen började köpa aktier i järnvägsbolag och ta upp lån i bank, stod i regel kolonins sönderfall och avveckling för dörren.

Moralen i det amerikanska Utopia var småborgerlig, med ett strävsamhetsideal av protestantisk typ. Mycket få katoliker kände sig kallade att vara utopister. Tyskarna ansågs som de dugligaste kolonisterna, fastän en av rapportörerna från det utopiska fältet anmärkte att kineserna, "ifall de en dag skulle börja ägna sig åt kommunistiska försök", nog kunde bli deras övermän.

Från Harmonie till Economy

George Rapp och Robert Owen är två utopiska ledare med radikalt olika inriktning och vissa beröringspunkter.

Rapp var en vävare från Württemberg som ledde en pietistisk väckelserörelse och 1803, efter fängelsestraff och trakasserier, lämnade Europa med några av sina anhängare. Andra kom efter följande år, och de köpte sig mark i Pennsylvania. Där började de bygga ett samhälle som de kallade *Harmonie*. Det blev på kort tid en blomstrande liten koloni, men efter ett decennium avbröts experimentet och man flyttade verksamheten till Indiana. Rapp och hans folk började om från början, byggde på nytt hus och verkstäder, kyrka och museum. De skapade ett välstånd. Jorden var bördig men klimatet mindre gynnsamt med risken för malaria.

1824 fick Father Rapp, en högrest, vördnadsbjudande profetgestalt, än en gång sina trogna att bryta upp. För 150 000 dollars såldes det samhälle som de hade skapat till Robert Owen. Denne döpte platsen med dess 160 hus till *New Harmony*. Rappisterna etablerade sig i stället vid Ohioflodens östra strand, 20 miles norr om Pittsburgh, och kom nu att kalla sitt samhälle *Economy*. Det hade ett rikt förgrenat näringsliv med bryggeri och whiskydestilleri, silkesmaskodling och produktion av ull från merinofår. I verkstäderna som värmdes med ånga lär det på maskinerna ha stått kärl med välluktande, friska blommor. Man använde prefabricerade element i byggandet, producerade brännolja från källor inom det egna området och hade intressen i fem järnvägsbolag. I byns vackra park

Economy, sektledaren George Rapps tredje samhällsbygge inte långt från Pittsburgh. Foto Olov Isaksson.

fanns en fontän och, i anslutning till romantikens scenario, en konstgjord grotta.

I Economy åt man fem mål mat per dag, och vinkrus stod på borden. Däremot hade man redan 1807 sagt nej till tobaken, det "usla ogräset". Vid samma tid infördes celibat i gemenskapen. Beslutet föranleddes av insikten att Kristi återkomst var nära förestående. Man levde på gränsen till en ny tidsålder, då världsliga band skulle upphöra att gälla.

George Rapps tre stora språng, från det europeiska Babel till endräktens Harmonie och sedan vidare i två etapper, talar om en viss rastlöshet hos denne evangelist, en otålig vilja att söka en fullkomning. De vittnar också om hans auktoritet över en församling som inte tycktes tveka att följa hans faderliga kommandon. Men i Economy verkar dirigenten att ha förlorat något av sitt andliga gehör. Han ägnade sig en tid åt guldmakeri. När det 1831 dök upp en falsk profet i församlingen, en bedragare som kallade sig Count Maximilian de Leon och påstod sig vara i besittning av De vises sten, mottogs han med öppna armar. Snart uppstod det osäkerhet, split, splittring och utbrytning. 250 av medlemmarna lämnade Economy med den falske greven, alias Bernhard Müller, en ledare som talade för bekvämlighet, mindre arbetsinsatser och ett återinförande av rätten att leva i äktenskapliga former. Dubbelt så många blev kvar i fader Rapps hägn.

Vid William Alfred Hinds besök i Economy 1876 fanns bara ett hundratal aktiva kvar i samhället. De gamla männen var värdiga och hövliga, i blåkläder och med bredbrättade hattar. En svensk skribent, Cecile Gohl, har beskrivit kolonin i mitten av 1890-talet. Då höll den på att tyna bort, med 37 medlemmar, men samhället var prydligt, utan vulgära "annonser, puffar och skyltar". Från kyrkans torn kunde man se "floden, de blå kullarne, de hvita husen formligen inbäddade i lundar af fruktträd, rankor och blommor". På Ohio River syntes ångbåtar och på stränderna järnvägståg, men "på Economybackarne var det tyst, så tyst och fridfullt, och med fläkten följde en berusande doft af lindar i blom".

1916 upplöstes den ekonomiska gemenskapen, med firmanamnet The Harmony Society.

Robert Owens storslagna drömmar

Robert Owen var en praktisk man, framgångsrik storföretagare, och en idérik organisatör. Furstar och presidenter lyssnade till honom, när han lade fram sina recept för att öka industriproduktionen och skapa samhällsfred genom ett höjande av arbetarklassens ekonomiska och kulturella ställning.

Men det fanns också ett drag av svärmare hos honom. I USA lät han sig styras av sina visioner och såg dem förverkligade i samma stund som han formulerade dem. Med New Harmony misslyckades han och kom där att förlora tre fjärdedelar av sin förmögenhet. Det uppstod tidigt en disharmoni bland de 900 anslutna, motsättningar mellan de fina intellektuella och det arbetande folket. Hit drogs på grund av den omfattande publiciteten också en del fantaster och svindlare. Ledningen var vacklande, Owen själv pendlade mellan Europa och Nordamerika. Till förtjänsterna hörde ett rikt kulturliv med operahus och orkester. Det var konsert varje vecka och bal. Robert Owen lyckades också få en rad av framstående forskare att delta i kolonins liv. Det gjordes vetenskapliga experiment, hölls föreläsningar och debatterades.

Owen skall enligt en av sina anhängare ha drömt om skapandet av "en stor social och moralisk maskin, avsedd att med en helt ny precision och snabbhet producera välstånd, kunskap och lycka". Denne reformator, senare pionjär för den kooperativa rörelsen, tänkte i stora drag och bortsåg från svårigheterna med sitt projekt. Förändringen av samhället från en "exploatering" (med Strindbergs ord i inledningen till *Utopier i verkligheten*) till en frigörelse skulle inte bli särskilt svår, om man följde hans anvisningar. "Ingen vanslighet eller något hinder av betydelse" skulle hämma framstegets utveckling.

Robert Owen härskade över en framtid av vackra abstraktioner. I Förenta staterna fick han framträda inför Kongressen och hade samtal med tre presidenter: en föregående (Jefferson), en just avgående (Monroe)

Ett kollektivhus för ogifta medlemmar av The Harmony Society. Från 1856 teater och operahus i New Harmony. Foto Olov Isaksson.

och en tillträdande (Adams). Sedan kom han emellertid att lägga fram principer för sin drömda gemenskap som för de flesta i detta land måste ha framstått som stötande och orimliga. I sitt tal i New Harmony på själv-ständighetsdagen 1826 gick han till generalangrepp mot det privata ägan-det, kyrkans makt över individen och äktenskapets band. Under "detta monstruösa onda" hade människan alltför länge varit en slav.

I januari 1827 började Owen sälja ut delar av sin och George Rapps skapelse till enskilda intressenter. Det sattes upp reklamskyltar i samhäl-let och öppnades små krogar. Allt återgick enligt The Gazette, ortens tid-ning, till "den gamla ordningen".

Askes och måttlighet

Av det amerikanska Utopias inbyggare verkar de tyska invandrarna ha haft särskilt lätt att anpassa sig till ett kollektivt liv. De hade också före emigrationen levt i tätt sammanslutna grupper, betraktade med misstänk-samhet av omgivningen eller utsatta för förföljelse. De var tåliga och strävsamma, trogna sin åskådning och länge sitt tyska språk.

I *Ephrata*, grundat redan 1735 i Pennsylvania, levde män och kvinnor i en klosterliknande tillvaro. De sov i sängar smala som bänkar och på

173

Trevåningshus av trä utan en inslagen spik i Ephrata, grundat 1735. Foto Olov Isaksson.

huvudkuddar av trä eller sten. Byggnaderna var av trä, och som i kung Salomos tempel fanns där inte en spik inslagen, också gångjärnen var snidade. Medlemmarna i denna samhörighet väcktes av klockringning vid midnatt för en timmes andakt. Sedan började de dagen klockan fem, arbetade, bad och ägnade sig åt späkningar. Varje vecka avgav de troende en skriftlig syndabekännelse som sedan lästes upp och diskuterades i gemenskapen.

Församlingsföreståndaren hette Johann Konrad Beissel. Tidigare hade han några år levt som eremit i en grotta i vildmarken. Denne mystiker komponerade sakral musik, och De andliga jungfrurnas kör, kvinnor med vita kläder, avtärda, bleka ansikten och rakade huvuden, var berömd vida omkring för sin ljuva, innerliga sång. I Ephrata producerades böcker med omsorg och stor konstfärdighet, och de fromma bröderna var kända som goda pedagoger. Till deras undervisning sökte sig elever även från Philadelphia och Baltimore.

Under en period upplevde de 300 medlemmarna ett ekonomiskt uppsving, och man hemföll till penningutlåning. Denna dragning mot världslighet avbröts emellertid, och driften i verkstäder och kvarnar upphörde. Organisationen fick filialer i andra delar av landet, men efter Beissels död

1786 tynade verksamheten bort. Senare anslöt sig de kvarvarande syst-
rarna och bröderna till sjundedagsadventisternas kyrka.

Ephrata är en biblisk ort liksom *Zoar*, platsen till vilken Lot och hans
döttrar sökte sig från det Sodom som skulle förstöras. En tillflyktsort med
det namnet skapades 1818 i Ohio av Joseph Bäumeler (senare kallad Bi-
meler), liksom fader Rapp en vävare från Württemberg. I denna grupp av
"separatister", gudfruktiga läsare som studerade Bibeln och Jakob Böh-
mes skrifter, fanns många äldre, svaga och medellösa. Man beslöt därför
efter ett år att dela lika. Kommunism i Guds namn betydde en garanterad
försörjning och en brytning med självviskheten.

När Charles Nordhoff kom på besök 1874, hade Zoar ännu cirka 300
medlemmar. Både denne observatör och William Alfred Hinds påtalar
vårdslösheten i det yttre, renhållningen var bristfällig och husen omålade
eller med flagnande färg. Å andra sidan fanns det bland människorna i
det lilla samhället en inre renhet, en fredlighet och anspråkslöshet som

Det gamla hotellet i Zoar, en utopisk idyll i Ohio. Foto Britt Isaksson.

kunde påminna om kväkarnas. Under de första åren restes inga gravstenar på kyrkogården i Zoar. Här fanns ingen religiös hierarki eller någon social rangordning, ingen sakral form eller några förordningar utom förbudet mot tobaksrökning och dans. Medlemmarna levde länge, och även deras samhälle blev långlivat. Formellt upplöstes det först 1898.

I dag är Zoar en slumrande idyll, fastän biltrafiken går mitt igenom byn. Byggnaderna av tegel och korsvirke verkar väl underhållna, utom det stora hotellet som under kolonins blomstringstid var en stötesten för de frommaste. Där kunde ungdomen lära sig dåliga seder i umgänget med de anställda som arbetade för separatisternas kollektiv.

Amana, även detta namn har bibliskt ursprung, är en samling av sju små samhällen, ett litet konglomerat av tysktalande utopier 20 miles väster om Iowa City. 1842 kom ett antal "inspirationister" från Hessen till USA och slog sig ned i närheten av Buffalo. Efter ett drygt decennium

Bröllopsfölje i Amana, Iowa en augustidag 1907. Ur Joan Liffring-Zugs, The Amanas Yesterday. Historic Photograps 1900–1932, 1975.

drog de västerut och byggde på prärien sin gudsstat. 1900 hade Amana, eller *The Society of True Inspiration*, hela 1 800 medlemmar. En av församlingens företrädare, betraktad som ett instrument för den gudomliga viljan, var Barbara Heinemann, från början tjänsteflicka och liksom Ann Lee analfabet. Den skapelse som hon en period stod i ledningen för kom att leva i nästan ett sekel.

I Amana fanns en märklig blandning av affärsmässighet och askes. Man åt fyra à fem mål om dagen. Medlemmarna fick röka, men kortspel var förbjudet och bilder, även fotografier, betraktades med misstänksamhet. Bland de överenskomna sedereglerna fanns uppmaningen: "Var i allting måttlig, utan lättsinne eller skratt och utan fåfänga samt gagnlösa handlingar, tankar och tal!" I paragraf 18 hette det: "Fly från kvinnosläktets sällskap så mycket som möjligt, ty det är en högeligen farlig magnet och en magisk eld!"

Hinds pekar i sin redogörelse på monotonin i arkitekturen och medlemmarnas brist på intresse för skönhet och konst. I dagens Amana förenas industriell verksamhet, vinberedning och ölbryggande, möbeltillverkning och textilfabrikation, med turism. Här är det nu svårt att känna närvaron av en högre syftning.

Étienne Cabets stora illusion

Moralisk fundamentalism och inskränkt affärsmässighet kännetecknade inte *icariernas* samhällsbildning, ett försök av franska invandrare att skapa en bättre tillvaro i kollektiva former. Däremot utövades inom denna sammanslutning ett regemente med inslag av diktatur av en maktfullkomlig ledare. Samtidigt fanns där bland medlemmarna starka individuella böjelser, sprängstoff i ett kollektiv med en rigid ordning. Berättelsen om icariernas drömmar och deras fall från sin himmel är en tragisk historia, ett epos med en blandning av heroism och ynkedom, visioner, illusioner och katastrofer. Här är en liten armé av Don Quijotar som förtvivlat slåss mot alla slags väderkvarnar och lider nederlag på nederlag.

Deras ledare Étienne Cabet var en landsortsadvokat som kom till Paris och blev en känd vänsterideolog, en pamflettist som excellerade i utropstecken men inte sällan tycktes vackla mellan olika ståndpunkter. Han hade en tidning, Le Populaire, med en läsekrets inom arbetarklassen och anklagades för uppvigling samt tvangs 1834 att lämna sitt hemland. I fem år var den landsflyktige bosatt i London där han, liksom Marx något senare, tillbringade den mesta tiden i läsesalen på The British Museum.

Efter återkomsten till Paris utgav Cabet en studie på 2 313 sidor om Franska revolutionen. Där framställdes Robespierre som den store hjälten och terrorn som en nödvändig övergång på vägen till demokrati. I ett politiskt credo kallar sig Cabet både för kommunist och reformist. Omvälvningen skall åstadkommas "genom öfvertygelse och öfverbevisning", heter det i *Upplysningar om Kommunismen* som översattes till svenska av Pär Götrek och trycktes 1846 hos Lars Johan Hierta, Aftonbladets ägare.

1840 hade Cabet publicerat en omfångsrik utopisk roman, *Voyage en Icarie* (Resa till Icarien), en skildring av ett idealsamhälle inspirerad av Thomas Mores *Utopia*. Boken gick ut i flera upplagor, och exemplaren tycks ha vandrat ur hand i hand bland franska hantverkare och arbetare. Denna i dag nästan oläsliga roman blev en legend och upphov till en folkrörelse i författarens hemland som omkring 1848 skall ha haft 400 000 anhängare. Siffran är antagligen för hög, men det är uppenbart att Cabet i detta skede var en begåvad organisatör och en inspirerande förkunnare.

Icarien har namn efter en frihetshjälte, Icar, en präst som i Kristi efterföljelse gör revolution och bygger ett nytt samhälle. Efter sin död verkar denne hjälte ha varit lika närvarande i sin stat som Lenin i Sovjetunionen med statyer och porträtt överallt. Landet Icarien framställs av författaren som en superrationell statsbildning med hundra provinser, var och en med tio kommuner och alla huvudorterna belägna vid den geografiska mittpunkten. Det är en stat utan kyrkor och religion, utan fängelser och polismakt. Här finns inga fattiga, inga tiggare, inga alkoholister eller prostituerade, inte heller några vilda djur. En kommission verkar för en fullkomning av den mänskliga rasen, delvis genom korsbefruktning. Nakenhet i konsten är förbjuden, men det finns 15 000 teatrar på 50 miljoner invånare, och vid firandet av nationaldagen framträder 100 000 körsångare. I Icarien bedrivs också det dagliga arbetet under sång.

Den 3 februari 1848 lämnade ett fartyg Le Havre med en förtrupp till den här som skulle erövra ett frihetens rike i Nordamerika, eftersom förhållandena i Frankrike inte tycktes kunna förbättras. De 69 pionjärerna var iförda svarta rockar av manchestersammet och skärmmössor av grå flanell. På kajen stämde trosfränder upp hymnen Partons pour Icarie (Låt oss resa till Icarien).

Det verkliga Icarien skulle byggas i Texas, vid Red River, men de franska invandrarna hade blivit lurade av den agent som sålde mark till dem. Snart började också malaria och kolera att härja i denna stöttrupp. Efter svåra umbäranden nådde man i mars 1849 mormonernas Nauvoo i södra Illinois vid Mississippifloden. Det var "ett skal av en stad" efter Templets förstörelse och mordet på sektledaren Joseph Smith. Från början bestod den icariska kolonin av 280 medlemmar. Efter några år hade antalet fördubblats, och en viss ekonomisk blomstring kunde märkas och en kulturell livaktighet med musikaliska och dramatiska evenemang.

Cabets stora illusion hade emellertid spruckit. Han hade drömt om en massutvandring till sin utopiska besittning, en miljon tappra skulle följa honom till frihetens rike, men efter Februarirevolutionen 1848 föredrog de flesta av anhängarna att verka för en förändring i hemlandet. Det fanns ett värvningskontor i Paris, men de nya rekryterna blev få. Det betydde att också de ekonomiska medel som Cabet räknat med sinade.

Med den finansiella osäkerheten uppstod en inre oro. "Konservativa" och "progressiva" började bekämpa varandra, unga och äldre, och när motsättningarna gick i dagen, blev Cabets auktoritära styrelse diktatorisk. Utan religionens kitt föll organisationen sönder. Ett år före sin död 1857

drevs Cabet bort från Nauvoo av en majoritet som var utled på hans små-
sinta restriktioner och övervakning, bland annat med brevcensur. Den
detroniserade ledaren började om från början igen i St Louis, organise-
rande och dirigerande, men förgäves. Sedan flyttade icarierna västerut
med sina förhoppningar, först till Iowa och senare till Californien. I Clo-
verdale norr om San Francisco byggdes *Icaria Speranza*. Man odlade vin,
sjöng icariska sånger och gav ut en liten tidskrift, L'Étoile des Pauvres et
des Souffrants (De fattigas och lidandes stjärna), med den högtidliga de-
visen "Organ för Kommunismen, Befriare av Folken och Individen" på
första sidan. Efter fem år var också denna dröm över.

En liten spillra av en stor rörelse levde kvar ännu en tid i Iowa. Den 22
oktober 1898 bekräftades i ett domstolsutslag upplösandet av en gemen-
skap som nu bara omfattade åtta äldre personer.

Kollektivism, driven till sin spets

The Oneida Community är på många sätt den märkligaste av alla utopier
i den nordamerikanska verkligheten. Det var en samfällighet där kollek-
tivismen drevs till sin yttersta spets, och där långtgående och för om-
världen chockerande principer omsattes i praktiken utan märkbar vånda
inom gruppen, och där den ekonomiska stabiliteten samtidigt förblev
grundmurad.

Muraren av detta samhälle hette John Humphrey Noyes. Någon helt
stabil personlighet förefaller denne ledargestalt inte ha varit. Som ung
skall han ha känt sig osäker och försagd i kvinnors sällskap, och senare i
livet hade han för vana att i kritiska lägen dra sig undan ansvar. Man kan
tänka sig hans gärning som reformator av seder och samhälle som delvis
kompensatorisk. Med sin rastlösa verksamhet, publicistiskt, organisato-
riskt och praktiskt, Noyes gjorde också en insats med mursleven på ko-
lonins byggen, kunde han tysta de röster i det inre som viskade om upp-
givelse, nederlag.

John Humphrey Noyes föddes 1811 i en respektabel medelklassfamilj
i Vermont. Tjugo år gammal drogs han med i den väckelsevåg som då
sköljde över USA:s nordöstra stater. Noyes blev troende, drömde om att
bli missionär och studerade en tid vid Andovers teologiska seminarium,
senare vid Yale. Han anslöt sig till den svärmiska grupp som kallade sig
"perfektionister" och kände sig tidigt kallad att, som han skrev, "förena
himmel och jord". Han ansåg att Kristi återkomst hade inträffat redan vid
tiden för Jerusalems förstörelse år 70 och att frälsta och syndare för länge
sedan avskilts från varandra. Den 20 februari 1834 gick Noyes ut med en
offentlig deklaration där han förklarade sig syndfri, förlöst genom Kristi
nåd. (Den dagen firade man sedan årligen i Oneida Community.)

Under intryck av den ekonomiska nedgång som 1837 skakade USA, en
förtroendekris som orsakade panik i vida kretsar, radikaliserades Noyes
teologi och samhällssyn ytterligare. I perfektionisternas tidskrift The Batt-
le Axe (Stridsyxan) publicerade han ett program för relationerna mellan

könen. Han förklarade att när Guds vilja förverkligats på jorden såsom i himlen, skulle det inte längre finnas något äktenskap. Det skulle råda en gränslös frihet. Noyes drömde sig en gemenskap där det inte fanns några relationer som byggde på en uteslutning av andra. Därmed skulle inte heller svartsjuka, gräl och tvister kunna existera.

Det fanns en personlig bakgrund till de tankar om Det komplexa äktenskapet som Noyes efter långvarig begrundan lade fram 1846. På sex år hade hans hustru burit fram fyra dödfödda barn. Ett sådant lidande borde en människa besparas. För att höja, förädla mänskligheten skulle därför fortplantningsdriften regleras. Männen skulle ålägga sig återhållsamhet genom att hålla tillbaka orgasm och utlösning i samlaget. Det medförde, då man lärt sig tekniken, en stegrad njutning för båda parter och minskad oro för oönskade konsekvenser. Noyes drömde rentav om en tid då kroppsliga föreningar skulle räknas bland de sköna konsterna och anses "högre än musik, måleri, skulptur, eftersom de förenar behaget och välsignelsen hos alla dessa". Han talade för födelsekontroll, mot ett slumpvist avlande, men vände sig också mot kärlekslivets exklusivitet, "Special love", romantiska band, svärmeri, förälskelse. I hans perfekta samhälle skulle det finnas ett rotationssystem, både när det gällde arbetsuppgifter och när det handlade om fysisk kärlek. Ingen skulle bli utan, ingen skulle hamna utanför och förtvina.

Noyes gick från teori till praktik. 1844 antogs kommunismen som ekonomiskt system av den lilla grupp som han samlat omkring sig i Putney, Vermont, och där började man två år senare också att leva i gruppäktenskap. En tid blomstrade perfektionisternas första utopiska samfund. Man arbetade i jordbruket och studerade (även hebreiska och latin), debatterade och tryckte pamfletter. Brook Farm var ett exempel som här gav inspiration. Samtidigt som det upphörde 1847, var det tid för uppbrott från Putney. Omgivningen hade börjat reagera fientligt på de egendomliga läror som predikades och praktiserades inom Noyes grupp. Ledaren blev anklagad för äktenskapsbrott men flydde och undgick fängelset. I stället började han i mars 1848 att bygga sitt himmelrike i Oneida, inte långt från Syracuse i New York State. De första åren var relativt svåra, men från 1857 började detta företag att gå med vinst.

Bibelkommunism

The Oneida Community var en kristen församling, vars medlemmar inte bara levde i en ekonomisk samfällighet utan också delade lika sexuellt. Noyes kallade sitt system för "bibelkommunism". Det äktenskap han instiftade kom efter hand att omfatta drygt 300 vuxna personer och att fungera i nästan tre decennier. Oneida var en antites till den behovslösa shakergemenskapen.

John Humphrey Noyes införde Det komplexa äktenskapet i Oneida och ett kontrollsystem, Ömsesidig kritik, som blev ett effektivt maktmedel i hans händer. Det ansågs fungera "som den elektriska strömmen", in-

Mansion House, huvudbyggnaden vid The Oneida Community, uppförd 1861–78. Foto Olov Isaksson.

John Humphrey Noyes, stående med korslagda armar till vänster, och hans storfamilj i Oneida omkring 1863. Foto Oneida Community Historical Committee.

tensifierande och upplysande. Man höll kritiska genomgångar inför en kommitté vars funktioner verkar ha liknat psykoanalytikerns eller psykoterapeutens. Under dessa seanser kunde missnöje ventileras och missförstånd redas ut. Det var ett sätt att lätta på trycket i gruppen. I vissa fall diskuterades en medlems fel och brister offentligt eller togs upp till behandling i Oneidas internbulletin.

Noyes, den sammanhållande kraften i denna sociala organism, skall ha saknat humor och personlig värme. Han lär ha haft en svag röst, men man lyssnade till det han hade att säga. Oneidas unga män formulerade vid ett tillfälle en solidaritetsförklaring till ledaren, i vilken det hette att de inte önskade något för egen del utom att vara "sanningens tjänare" och John Humprey Noyes "trogna soldater". Oneidas unga kvinnor kunde å sin sida förklara att de inte tillhörde sig själva så mycket som Gud och "i andra hand Mr. Noyes", vilken de betraktade som "Guds sanne företrädare". Hans makt över själar och kroppar berodde på hans gudomliga uppdrag men också, det verkar uppenbart, på karisma och sex appeal. Noyes energiska intellekt gav elektrisk ström till lamporna i det stora komplex av idéer, individer och rum som var The Oneida Community.

Denne milde diktator hade skapat ett hem och en familj i större skala än andra familjefäder, och han organiserade sitt samfunds ekonomiska liv med en sorts kylig saklighet. Han byggde inte ett luftslott utan ett industriföretag som genom sin flexibilitet kunde överleva en lågkonjunktur. I *History of American Socialisms* kritiserar Noyes andra utopiska ledare för att de saknade alternativa strategier. De hade sällan eller aldrig en plan för det oförutsedda, torka eller översvämning, oväder eller sjukdomar. Noyes hade däremot en förmåga att se runt hörnet, och han aktade sig noga för att ta ut några framgångar i förskott.

Oneida Community blev känt för sina industriprodukter som höll en hög kvalitet. Stålfällorna som skapats av Sewell Newhouse, en uppfinningsrik entreprenör och medlem av gruppen, salufördes över hela landet. Med maskiner av egen konstruktion fabricerade man 300 000 sådana fällor per år i olika storlekar, både för råttor och björnar. I verkstäderna, där även kvinnor arbetade och barnen gjorde kortare pass, tillverkades också resväskor, halmhattar, tändsticksaskar, fruktkonserver, sysilke och så småningom även bordssilver. Den ekonomiska organisationen hade en rationell uppbyggnad med en indelning i ett antal "stående kommittéer" och "administrativa avdelningar" samt en företagsstyrelse som sammanträdde varje söndagsförmiddag. Bokföringen lär ha hållits i perfekt skick.

Produktionen gav vinst, och perfektionisterna i Oneida levde jämfört med andra utopister i ett bekymmerslöst välstånd. Huvudbyggnaden, Mansion House, innehöll ett läsrum med ett stort urval av tidskrifter, framför allt teologiska och naturvetenskapliga, samt ett bibliotek på 6 000 volymer. Där stod Charles Darwins verk bland de fromma skrifterna och instruktionsböcker i världsliga angelägenheter. Mansion House, beskrivet som "en maskin för kollektivt boende", var utrustat med centralvärme, och där inrymdes ett kemiskt laboratorium, en fotoateljé, ett tryckeri, ett

Teaterföreställning i samlingssalen i Mansion House. Ur Frank Leslie's Illustrated Newspaper, 1870.

Samling vid studieflitens lampor i Oneidas bibliotek med dess 6 000 volymer. Ur Frank Leslie's Illustrated Newspaper, 1870.

naturaliekabinett och en stor konsertsal. Det fanns tandvårdsklinik och ett turkiskt bad och nere vid Oneidasjön ett semesterhem för medlemmarna. Som på Brook Farm kunde de roa sig med picknicks i omgivningarna och med dans, pantomimer, teaterföreställningar eller musikaliska evenemang inomhus. Det rika kulturlivet och de intressanta rykten som florerade om livet i gemenskapen lockade många besökare. Mellan 1862 och 1867 skall man ha tagit emot nästan 50 000 gäster.

I Oneida Community fanns inget sabbatstvång eller hölls några gudstjänster på bestämda tider. Däremot hade man varje eftermiddag ett allmänt gruppsamtal. Stämningen i gemenskapen tycks ha varit avspänd. Charles Nordhoff beskriver den som ett passionslöst tillstånd; hans skildring kan här påminna om främmande betraktares reserverade hyllningar till den svenska välfärdsstaten. Kvinnorna verkade, när han granskade ansiktena, mindre intressanta än de manliga medlemmarna. De hade kortklippt hår och en speciell uniformering som de flesta besökare fann missklädsam: blus, halvlång kjol och långbyxor.

De som anslöt sig till Noyes rörelse var "varken poeter eller anarkistpolitiker", noterar en forskare, utan män som visste "hur man skötte en kvarn, plöjde en åker och lade grunden till en byggnad". Ändå behövdes det draghjälp till denna omfattande verksamhet, och här hade man inga betänkligheter mot att anställa utomstående som arbetskraft. Mellan dessa och Oneidas utopister tycks det ha rått ett förtroendefullt förhållande.

Från promiskuitet till monogami och aktiebolagsbildning

The Oneida Community, denna egendomliga idyll, ägde bestånd från 1848 till 1880. Då beslöt medlemmarna att upphöra med egendomsgemenskapen samt att återgå till den form av samlevnad som det stora, omgivande samhället erkände. Från en strängt reglerad promiskuitet övergick man till monogama förhållanden.

Under några år före upplösningen hade det förekommit en viss oro i denna storfamilj. Yngre medlemmar hade börjat reagera mot den hårda känslodisciplinen, förbudet mot hängivelse till en särskild individ. En hjärtskärande dagbok som berättar om tvång och själanöd har kommit i dagen på senare år. I den talar en förälskad man under två år av vånda i flämtande utrop om sin längtan efter den älskade och sin dröm att få ett barn med henne. Den överordnade myndigheten i detta slutna samhälle försöker hålla dem tillbaka, övervakar, kontrollerar, förhör och tvingar dem att hänge sig åt andra. Detta övervåld, inom en städad, borgerlig ram, utövas med en konsekvens som verkar helt obarmhärtig.

Om samlivet i Oneidakollektivet måste det ha viskats mycket i omgivningen. Det måste ha sipprat ut att unga kvinnor där efter sin första menstruation invigdes i den fysiska kärlekens konst av äldre herrar. De flesta vittnesbörd som föreligger om det erotiska livet i Oneida är emellertid positivt hållna. Dock hade de äldre mest att vinna i denna kärlekens långdans. Man kunde säga nej till en mindre tilldragande kärlekspartner som utsetts av de kommitterade, men det fanns ett grupptryck, ett krav på konformitet i det promiskuösa som gjorde en vägran svår eller omöjlig för en ung flicka eller en yngling.

1869 antogs ledarens idé om ett rasbiologiskt experiment där ett antal utvalda unga män och kvinnor skulle paras samman. Nu gällde inte längre regeln om manlig återhållsamhet i könsakten. Av de 58 barn som föddes, medan detta arrangemang pågick, var John Humphrey Noyes far till nio eller tio. Kvinnorna lär ha vördat och älskat honom. Det är knappast någon överdrift att säga att hans manslem var den härskarstav med vilken livet i denna familjekrets dirigerades. En son tog över under kolonins sista år, men han hade inte faderns hormonella energi och ledarbegåvning. Dessutom var han en agnostiker utan gudomligt uppdrag.

När det började knaka i fogarna och den etablerade kyrkligheten åter gick till angrepp mot perfektionisternas paradis, lämnade fader Noyes 1876 sitt Oneida och bosatte sig vid Niagara Falls på den kanadensiska sidan av gränsen. Där dog han tio år senare. Då hade hans verk förvandlats till Oneida Community Limited, ett aktiebolag med huvudinriktning på tillverkning av matsilver. I dag svarar efterföljaren Oneida Silversmiths, med fabriker också i andra länder, för 15 procent av världsproduktionen av matbestick.

Mansion House står kvar och har ett vackert läge på en liten kulle i en parkliknande omgivning. Det är nu ett museum men också permanentbostad för ett 40-tal personer. På somrarna samlas här stora grupper av besökare, många med en anknytning till platsens tidigare historia. Tegelbyggnaden, i viktoriansk gotik, uppfördes 1861–78 och har senare byggts till i olika omgångar. Något liknar den ett sanatorium från anno dazumal för burgna patienter eller huvudbyggnaden vid ett landsortsuniversitet med gamla anor.

Invändigt är det inget som talar om sjukdomar, kriser eller konflikter. I atmosfären finns här en blandning av högtidlighet och vardaglighet, förnäm tillbakadragenhet och handlingsberedskap, som om detta stora hus fortfarande i någon mening fungerade som ett kraftcentrum. De mjuka, heltäckande mattorna är lövgröna. Stegen blir mjuka i dessa rum och rösterna lugna, stilla. Utanför de höga fönstren reser sig himmelshöga stammar, väldiga almar, lönnar, popplar och valnötsträd.

När jag kommer ut från dessa gemak där en mycket egendomlig rörelse, förnuftig intill det absurdas gräns, hade sitt residens, dansar höstens färgsprakande löv med vinden. Och en vildgåsflock flyger i en plogliknande formation över John Humphrey Noyes stolta skapelse och den höjd som han byggde sin utopi på.

Utopiers nedgång och fall

Utopiska projekt är bräckliga företeelser, utsatta för tryck både utifrån och inifrån. De kan upplevas som utmanande av omgivningen eller alltför egendomliga, overkliga skapelser som ifrågasätter det allmänt godtagna.

I de flesta av de amerikanska gemensamhetssamfunden slog pendeln snabbt tillbaka från kollektivism till individualism, från egendomsgemenskap till enskilt ägande och penninghushållning. Men när utopierna vissnade och dog i Utopia, berodde det inte bara på konstruktionens svaghet och människors brist på sammanhållning och uthållighet utan också på omvälvningar i tiden.

Efter inbördeskriget försvagades den utopiska rörelsen eller antog mer uttalat politiska former; Oneidas tidning The Circular bytte namn 1876 och blev The American Socialist. Med The Homestead Act, som gav varje amerikansk medborgare rätt till ett stycke av unionens jord, började 1863 det verkliga framträngandet mot väster. Samtidigt ökade immigration, industrialisering och de stora städernas tillväxt explosionsartat. (Utopisterna, stillsamma landsortsbor, uppfattade metropolerna som hemvister för själviskhet och omoral.) I denna vitala och brutala atmosfär kunde inte utopismens vaga löften och den bibeltrogna kommunismens långa perspektiv göra sig gällande. De flesta av de skapelser som byggde på dessa idéer blåste bort för förändringens stormvindar.

Huvuddelen av den utopiska rörelsen i USA hade sina rötter i en religiös motkultur som under århundradena utmanat den kyrkliga och världsliga makten i Europa. Den återknöt tankemässigt och känslomässigt till den djupa fromhet, katarers, vederdöpares, dissenters, pietisters, som gick i ett flöde under den institutionella kristendomens prålig byggnad. "De stilla i landet" sökte inte strid, förrän deras livsvillkor och trosförhållanden blev outhärdliga, men när de reste sig för att kasta av sina ok, skakade predikstolar och troner.

När Erik Jansson i det auktoritära gamla Sverige började samla människor omkring sig och det uppstod en rörelse i folkdjupet, fruktade både stat och kyrka att han skulle kunna bli en Thomas Münzer, en upprorsledare för de enkla människorna. Erik Jansson demoniserades och karikerades, på samma sätt som något senare skedde med Almqvist. I båda fallen rörde det sig om samhällsfarliga personer som måste isoleras och desarmeras. Den polemiska framställningen av Erik Janssons egenheter och anletsdrag, där de utstående framtänderna blir ett diaboliskt kännemärke, underlättades av att det inte finns något porträtt av denne andlige ledare. Därför har han fortsatt att framstå som obehaglig och gåtfull, och det beundransvärda i hans gärning har skymts bort av denna tendentiösa bild. Det var ingenting mindre än ett mirakel att han med sin tanke, sin vilja och sina ord hade kunnat föra alla dessa människor till ett nytt land och där tillsammans med dem bygga ett nytt samhälle och en ny kyrka!

När man begrundar de amerikanska utopiernas uppgång och fall, kan man konstatera att det nästan alltid finns en direkt relation mellan ledarnas viljekraft och deras verks livslängd. Gemenskapens sammanhållning beror inte bara på religiös eller politisk medvetenhet hos medlemmarna, utan också på deras vördnad för ledaren eller i något fall fruktan. När denne lämnade scenen, försvann en magisk kraftkälla ur det lilla samhällets organism. Å andra sidan kunde auktoritära auktoriteter vara en riskfaktor. Bristen på intern demokrati i gemenskapen kunde bli en anledning till split och till enighetens upphörande. Då det uppstod klasser bland kommunisterna, en regerande elit, ett slags tjänstemannaskikt och ett hårt arbetande fotfolk, började byggnaden svikta. När en utopisk koloni gick mot kris och föll sönder, berodde det i regel på att ungdomen tröttnade på medelålderns och åldringarnas despoti och flydde fältet.

Svagheterna som ledde till denna nedgång och undergång har analyserats av utopirörelsens historiker. En avgörande brist var att dessa försök var alltför beskedliga. Grupperna var för små. (Robert Owen ansåg att 1 800–2 000 medlemmar var det idealiska antalet för sådana företag.) Utopisterna hade också för små kapitaltillgångar. De började inte sällan med ett underskott och kunde sedan aldrig komma i kapp skulder och förväntningar. Adin Ballou, en värdig prästman och kristen socialist som i sjutton år ledde *Hopedale* i Massachusetts efter fourierska principer, erkände efter sammanbrottet 1856 att "mitt hopp var alltför stort och mitt ekonomiska omdöme alltför litet".

En belastning var i många fall de excentriker som drogs till dessa experimentstationer. De amerikanska utopiernas krönika är full av tvister och gräl, av mötesförstörare och upphetsade debatter i de mest perifera moralfrågor. Henry David Thoreau, den självständige tänkaren, klagar efter ett besök på *The Raritan Bay Union*, en kortlivad utbrytning ur The North American Phalanx, över bristen på skapande ro och ensamhet i dessa larmande församlingar.

Under vissa perioder rådde det en yra i utopiernas värld, ett starkt sorl i vilket förhoppningar och farhågor blandades. Det fanns många ofullkomligheter i målsättningar och verksamheter, men ifall man jämför prestationerna med förhållandena i det omgivande amerikanska samhället, kan också en del av de svagare kollektiven framstå som föredömen. Det gällde särskilt om skolundervisningen. Friast hade barnen det i Oneida; där kunde de i princip stiga upp när de ville. I Harmony lär däremot gossarnas skoldag ha börjat klockan tre på morgonen.

I Brook Farm var tillvaron minst styrd av ordningar och sederegler. Där räfsades höet av fria kvinnor med utslaget hår, eller de läste Goethe och lyssnade till föreläsningar om Själen och Naturen. Mest reglerat var samfundslivet bland icarierna som hade antagit en konstitution med 183 paragrafer. Å andra sidan skall de franska kolonisterna ha haft det bästa kosthållet. (I övrigt tycks det på många håll ha serverats "sjukhusmat".) Men när icarierna råkade i kris, försvann kaffet från borden och ersattes med en dekokt på smultronblad.

Trots de interna tvisterna var utopisterna fredliga och humant inriktade. De var emot slaveriet och drev på den allmänna opinionen i den frågan. De vägrade vapen – Bishop Hill är här ett märkligt undantag. Shakers vårdade inbördeskrigets sårade och verkade senare för etik och moral i förbindelserna mellan länder och stater.

Nya försök till utopibildning gjordes efter inbördeskrigets slut 1865, men de flesta satsningarna blev mycket kortlivade. Utopierna gick inte i takt med tiden och halkade efter, både när det gällde aktivitet och övertygelse.

På våren 1877 anlände 33 polska medborgare till New York. Det var en grupp av skribenter, konstnärer och skådespelare, känt folk som mottogs i audiens av president Grant. Bland dem var Polens främsta aktris Helena Modjeska och den unge författaren Henryk Sienkiewicz, Nobelpristagare 1905. William Alfred Hinds kallar deras utopiska koloni i södra Californien för "ett polskt Brook Farm". Dess liv och död är ett romanuppslag. Deltagarna var entusiastiska men saknade helt erfarenhet av jordbruk och andra praktiska sysselsättningar. De blev lurade av tomtmäklare, leverantörer och byggherrar. Dessa artister försökte sig på husdjursskötsel och fruktodling, men allt dog under deras händer, som om deras dröm var förhäxad. På sommaren 1878 hade de förbrukat sitt kapital och gav upp.

På en ö i Stilla havet utanför Canadas kust grundades 1901 en finsk utopisk koloni. Den hette *Sointula* (Harmonins boning) och dess "president" Matti Kurikka, en känd agitator som trodde på fri kärlek, teosofi och socialism. Snart uppstod emellertid disharmoni, missmod och misshälligheter. Även här brann huvudbyggnaden ned, och elva av de 120 medlemmarna omkom i lågorna.

Under vänsteruppsvinget omkring 1968 bildades kollektiv och "kommuner" på många håll i västvärlden. I USA skall de enligt hälsovårdsdepartementet 1971 ha uppgått till över 3 000. Mycket få hade emellertid mer än 30 medlemmar, och den övervägande delen av dessa idébyggnader blev bara en episod.

Bishop Hill och skuggan av ett imperium

Carl Jonas Love Almqvist kom inte till Bishop Hill, fastän en av de många myter som cirkulerat om hans liv i Nordamerika hävdat det. Han hade egna erfarenheter av att bryta upp och att bryta ny mark, och varje försök att bygga ett nytt samhälle eller radikalt förändra det existerande måste ha väckt hans intresse och eggat hans fantasi. Men nu levde Almqvist ett hemligt liv under antaget namn, anklagad i sitt hemland för svåra brott, och vågade inte närma sig sina landsmän.

Fredrika Bremer kunde ha gjort en avstickare till Bishop Hill. Hon var medveten om att kolonins invånare var ett "redligt, gudfruktigt och arbetsamt folk", men trots språkgemenskapen fanns här knappast någon möjlighet till förståelse. I Bishop Hill föreställde sig den celebra resenären antagligen att hon skulle möta fanatiska eller inskränkta människor.

Under första hälften av 1900-talet var denna svenska utpost nästan bortglömd i vårt land. Den framstod som en kuriositet i emigrationshistorien, med dramatiska inslag som gav impulser till några skildringar i fiktionens form. Men 1969 blev namnet Bishop Hill bekant för en större allmänhet genom utställningen på Historiska Museet och utgivningen av boken *Bishop Hill — svensk koloni på prärien*. I USA publicerade några år senare Paul Elmen en ingående studie över Erik Jansson, sektledaren som enligt Fredrika Bremer haft en makt över sina anhängares sinnen "nästan af demonisk art".

Den 13 december 1956 kom jag själv i sällskap med två landsmän första gången till Bishop Hill. Platsen med sina 202 invånare tycktes då som en ö i tiden, lämnad vid sidan av utvecklingen. Under vinterhimlen verkade detta samhälle på en gång mycket förtätat, med sin koncentrerade bebyggelse och sina resliga träd, och ömtåligt, tillfälligt, en patetisk återstod på väg mot förgängelse och glömska. En äldre man som talade det gamla språket öppnade den utkylda kolonikyrkan för oss. På nedre botten hängde Olof Krans porträtt av Bishop Hills pionjärer. Vi stampade i trägolvet för att få värmen tillbaka i kroppen, samtidigt som vi genomborrades av stålblå, kyliga blickar.

Bishop Hill liknade en frusen bild, all rörelse tycktes där ha avstannat. Hundra år tidigare hade samhällsbilden enligt Paul Elmen kunnat erinra om en medeltida by, pulserande av verksamhetsiver. Om kvällarna tågade där hundratals arbetare sjungande hem från fälten. Denna december-dag låg det närmare till hands att erinra sig nybyggarnas mödosamma färder över land och hav och den sista långa vägsträckan över den himmelsvida slätten. Eller man kunde tänka på den första vintern då inte så få av Erik Janssons församlingsmedlemmar levde hopträngda i jordkulor.

En oktoberdag mer än tre decennier senare, då solen glödde i lönnarnas löv, var jag tillbaka i Bishop Hill. Metodistkyrkans klockspel sände ut de milda tonerna av psalmen "Bliv kvar hos mig", medan rödblänkande, väldiga skördemaskiner domderade på majsfälten. Jag såg ett samhälle där de påtagliga minnena inte hade sopats undan, utan där det gamla levde i en vacker samklang med det nya. Jag återsåg de gamla herrarna, nästan lika förtätade i sin andliga koncentration som El Grecos apostlar. Nu kunde jag granska deras kantiga fysionomier i ett museum som ägnats Olof Krans, uppfattad som en av USA:s betydande naiva målare.

Det svenska språket hade dött ut under den tid som gått sedan mitt första besök, men intresset för hemlandet hade ökat. Man berättade för mig om en ny insikt, en växande stolthet över ursprunget. Någon nämnde också att det kalla krigets slut förändrat synen på detta Bishop Hill där man en gång hade utövat en kommunism i biblisk mening. En skugga av ett totalitärt imperium hade tidigare ibland tyckts vila över det lilla samhället.

På en bar i Bishop Hill, dit traktens bondsöner söker sig på kvällarna för en pizza och en öl, hänger i dag en blodröd fana med guldtryck och Lenins porträtt. Någon sägs ha vunnit denna relik på ett vad i Las Vegas. Enligt den ryska texten är det ett "vandringsstandar", förlänat förtjänta medborgare för "utmärkta resultat i socialistisk tävlan". Under gyllene fransar kan man överst läsa de bekanta orden "Proletärer i alla länder, förenen eder!", den avslutande appellen i *Kommunistiska manifestet* från 1848. Lenin ser beslutsam ut; dock är detta ett oåterkalleligt efteråt.

Men i Bishop Hill fortsätter verksamheten. Denna ö har inte sjunkit under horisonten på präriens ocean.

A Utopia on the Prairie

Bishop Hill is one of the best preserved of the many utopian colonies that existed in the United States in the mid 19th century. At a ceremony in 1984, in the presence of American and Swedish dignitaries, Bishop Hill was declared a "National Historic Landmark". In the Sunday issue of the New York Times, October 23, 1994 the historic town was noted with the headline, "A Little Bit of Sweden in Western Illinois". Today Bishop Hill is counted as the most valuable Swedish historic landmark outside the borders of our country, and an unmistakable part of both Swedish and American cultural heritage.

Bishop Hill is located approximately fifty kilometers east of the Mississippi River and Rock Island, not far from Galesburg, Kewanee and Galva, where many families of Swedish descent live. From Chicago the drive to Bishop Hill takes about three hours. In 1846, when the first Swedes settled there, the passage from Chicago over the wide stretch of prairie took about two weeks. Western Illinois was then still sparsely populated and no roads led to the place which one of the immigrants had staked and claimed for his religious brothers in faith, the so-called Jansonites.

Up until 1854 some 1,500 Swedes belonging to this religious sect emigrated. With the flight of Jansonites, away from the church and worldly authorities, the Swedish mass emigration to North America began. In their footsteps hundreds of thousands of Swedes followed. If there "is something that spread the American legend in Sweden, it has to be the letters from Bishop Hill in Illinois," wrote Vilhelm Moberg, in *Den okända släkten (The Unknown Relatives)*.

Many Swedes moved westward from Bishop Hill. Also in Minnesota, among Moberg's pioneers from Småland, there were people from Bishop Hill and Hälsingland. When some twenty Jansonites decided not to go on to Bishop Hill, Chicago got its first large Swedish settlement. Fifty years later approximately 145,000 Swedes and their descendants lived there, more people than in Gothenburg at the turn of the century.

No single individual has influenced the emigration from Sweden to the United States as Erik Jansson, with over 1,2 million Swedes emigrating between 1840 and 1930. Today some 4,6 million people describe themselves as being of Swedish descent.

Bishop Hill is named after Biskopskulla, a parish located about 40 kilometers south-west of Upsala. A road leads from the church in Biskopskulla to the foundations of some buildings, the only remains of the village where Erik Jansson, "the prophet from Biskopskulla", was born. There, in 1979, a monument was erected to his memory, with the text: *Leader of a religious sect. Emigrated with his congregation to Illinois, USA. Founded there in 1846, the settlement Bishop Hill.* On his tombstone in Bishop Hill one can read: *Eric Janson Founder of the town of Bishop Hill. Born in Biskopskulla, Sweden, Dec. 19, 1808; Murdered May 13, 1850.*

Who was this man, who was considered so dangerous by the Church of Sweden that he was threatened with imprisonment for his preachings? What was the source of his strength? How could he convince well-to-do farmers and poor sharecroppers, servants and farmhands, young and old, to follow him to the New Jerusalem?

Erik Jansson regarded himself as God's servant. He dedicated his farewell speech, printed in 1846, "to all the inhabitants of Sweden who despised me, sent by Jesus, and rejected the name of Erik Jansson as unclean ... I am come in Christ's place to bring grace. Whoever despises me despises God."

Erik Jansson was a charismatic and talented leader, with seemingly hypnotic power and he owned an unusual ability to express himself. He was, "a great person, in a spiritual sense and also his outer appearance was grand and stately," said one of the many women who were influenced by his radiance.

Like many other religious leaders, Erik Jansson tells how he felt a disquietude of the soul even as a child. He was twenty-two years old when he received grace, and was relieved of both mental and physical pain. After this, which Jansson called his first summons, he began to study the Bible intensively. His second summons was ten years later. He could no longer resist "taking Christ's cross and preaching Christ's gospel to all who would listen".

Jansson's relations with the Church of Sweden were good at that time. Gradually Jansson moved away from the church. The Bible and his own writings were to be the only references for believers. The authorities reacted still more strongly against his teaching that a Christian is without sin, and even incapable of sinning. This turned many of his former followers against him. Nevertheless, a congregation was formed around Jansson. The members listened to his interpretations of the Bible, and to his, often very long, sermons.

There were few Swedish rural areas in which religious convictions called collectively "reading" were so widespread as in Hälsingland. On his first visit to Hälsingland, Erik Jansson met Olof and Jonas Olsson, two brothers who soon became his most influential disciples, and who, by their intelligence and courage, made the complicated colonization possible.

There were several causes of the conflicts between the State and church on the one hand and the Jansonites on the other. They defied the Conventicle Edict of 1726, which prohibited "readers' meetings" and they even administered Holy Communion. They reviled the clergy, whom they called "the devil's crew". When the Jansonites began burning books, it was not surprising that the clergy demanded more energetic measures.

The first book-burning took place in the parish of Alfta. P. N. Lundqvist, who in 1845 published a long refutation of Erik Jansson, gives a vivid account of the event: "The day of the burning dawned. It was the 11th of June, 1844 ... In the morning of this lamentable day, several boats were seen on Lake Viksjön, bringing books to the spot. People on foot bore heavy burdens, panting for breath ... At the last moment many hesitated, but Erik Jansson made a speech of encouragement, promising them heavenly joy as the smoke of the idols rose. A large pyre was built, lit, and Luther's, Arndt's and other people's works were consumed, while those around sang the praise of the Lord ..."

More book-burnings took place in October and December the same year. In a proclamation the Governor warned the Jansonites against "blaspheming our accepted religious teachers, spreading heresy, reviling the clergy and inciting the burning of religious books".

During the summer of 1845, the campaign against the Jansonites was intensified, and several violent conflicts occurred. In October Erik Jansson, who had been wanted by the police for some time, appeared voluntarily before the court. He was found guilty. On the way to Gävle prison, Jansson was set free by some of his followers. The rumour that he had been murdered spread around the neighbourhood. In the meantime, Jansson, disguised as a woman, left the densely populated coastal regions and made his way inland. From Dalarna he fled on skis through forests and over mountains to Oslo and then by boat to New York.

How did the dream of emigrating to America arise? The initiative does not seem to have emanated from the prophet himself, but from a high civil servant, L. V. Henschen, liberal in his views and critical of the intolerance of the State and church. He was a great admirer of the Constitution of the United States and the freedom of worship it allowed. Henschen seems to have acted as the Jansonites' legal adviser.

As early as 1840, when the American minister, Robert Baird, took part in temperance meetings in Hälsingland, the thoughts of the Jansonites may have turned towards the United States. The idealized image of the country created by the liberal newspapers, was surely an influence for the Jansonites. Further, a native of Alfta, Carl Flack, had emigrated to America in 1843. His letters, which circulated around the farms, also certainly contributed towards the "America fever".

In accordance with the communal ownership as in primitive Christianity, the Jansonites sold all they had and placed the money in a common fund. In this way it was possible to obtain the funds required for all who had left their homes. Some people without money are said to have joined the group and left it when they arrived in the New World.

There were several well-to-do farmers among the Jansonites and many skilled workers. Did Jansson and his "apostles" endeavor to mobilize these people whom they knew would be of decisive importance for them in America? "More valuable than money is a good woman or maid or laborer of our own, for they soon pay back their debts for the journey home", wrote Olof Olsson in a letter from New York, dated December 31, 1845.

Olsson had been sent to America in the autumn of 1845, and he was helped in many ways by Olof Hedström, a Swedish Methodist minister in New York. Olsson's impressions of the new country were positive. "It is a country like the Kingdom of Heaven. It has everything true, good and free ... A country where the worker can eat his loaf of white bread as well as the regent."

The emigration was well organized. A large stock of provisions was needed for the long voyage. For each vessel a leader was chosen with responsibility for the spiritual and temporal well-being of the colonists. For many Jansonites the voyage was their last. One vessel sank, with 65 passengers, and the hardship on the other ships and illness killed many, mostly children and elderly people.

The hardship was by no means over when the longed-for land was reached. By the time several boats reached New York in 1846, the Hudson River had frozen, thus compelling the immigrants to wait for months until spring. A diary kept by J. E. Liljeholm, who accompanied a group to Bishop Hill as interpreter, gives this account.

"These Jansonites had been here since last December and were in a rather wretched condition, for the voyage had caused disease and had killed many ... and of about 520 people who left their homes ... no more than 400 remained, one-third of whom were ill. During the winter they had lived in canal boats and had had to endure winter, without fires and live on gruel and bad bread."

The group Liljeholm accompanied used five canal boats, towed by steam vessels to the Erie Canal. From Buffalo they went by steamer over the Great Lakes to Chicago. Here several of the Jansonites became ill, and many died, "although the apostles assured them of their divine power to heal". After buying horses and waggons, the 400 persons continued to their goal – Bishop Hill in Henry County. About two weeks later the group stood face to face with Erik Jansson, the man for whom they had left their homes and travelled over sea and land to their New Jerusalem.

Soon triumphant letters were sent from Bishop Hill. "The word is made perfect in us, and the prophesies of our enemies are proved false. For the land we have taken is large and wide, and is such as none of us realized was to be found in the world, for it is flowing with milk and honey."

They had been lucky enough to choose one of the most fertile regions in the whole of the United States. Below the hill on which they built their town ran a river, which provided power for mills, and on the hill was a well of clear water. The supply of food presented no problems. "In this country there are hundreds of pigs in the woods, and we can shoot and slaughter them at will." There were also "very many buffalo, deer and other animals ... God has blessed us a hund-

redfold here on the new earth!"

It is difficult to get any certain idea of conditions during the early years. The colonists painted life in too bright colours, while their detractors described conditions at Bishop Hill as unfavorably as possible. The principal opponents of the Jansonites were among those who had left the colony, disappointed because things were not up to their expectations, the religious demands made by Erik Jansson too severe, and the work too heavy.

There is, however, one reliable account of Bishop Hill during the first years, written in July 1847 by an ex-Jansonite, Anders Larsson. He is very critical of Erik Jansson as a religious leader, but cannot refrain from expressing his admiration for what had been done under his leadership.

"They call the place Bishop Hill. It is the most beautiful place one can imagine. There they have built about 30 dug-outs which are quite comfortable for their purpose. They are now preparing to build their new township. I saw surveyors there, measuring and planning the town, which is to be built as a square, with 18 houses on each side, and gardens and parks and a large church inside the square ... They have several brickyards; they have built a tannery and workshops of almost all kinds. Around their arable land they have built an earth bank 4 1/2 miles long, and they are planting trees all around. An incredible amount of work has been done in this short time ..."

The dugouts, about 30, were dug in the deep ravine cutting through the hill. There were several log cabins there, too. That as many as 180 Jansonites died during the first winter may have been due partly to the poor living conditions. This was coupled by the ill health of many of the colonists. Their long journey to Bishop Hill left them highly susceptible to fever and infection.

As soon as possible, better dwellings were begun. "They have," said a letter printed in 1849, "left their dug-outs, and are now living in five large, two-storey buildings like barracks, built in the American way. In these buildings all the families have rooms ... They have three communal kitchens, in which they eat ... The church is new, but not quite finished ...Two floors are fitted out as bedrooms."

The upper floor was furnished like an ordinary Swedish church, with a gallery at one end and the altar at the other. But the exterior did not at all resemble a contemporary Swedish church. Except for the hospital, the church was the only large frame building in the colony. After a few years, the fired bricks replaced wood and adobe in the construction of large buildings.

The supervisor of the bricklayers was August Bandholtz, who left Germany in 1845 and arrived in Bishop Hill three years later. His experience with Central European masonry influenced the dwellings and workshops built until 1855, when he left the colony. The most remarkable of Bandholtz's brick buildings was the Big Brick, which burned down in 1928. When the Big Brick was completed in 1851 it had three floors of dwellings, was 200 feet long and contained ninety-six rooms; it was the biggest building in America west of Chicago. Each family had one room. There were two large dining rooms, one for adults and one for children and a kitchen in the cellar. Several hundred people could eat at the same time. Another two large blocks of dwellings were later built. One of these accomodated the colony office.

Most of the Jansonites were from Hälsingland. In competition with each other, Hälsingland farmers erected huge timber dwellings, and filled them with beautiful furniture and wall paintings. It may have been this tradition which drove the Swedes of Bishop Hill to build on such a grand scale. But Swedish styles were soon superseded by the styles of the new country, a trend which could be seen in the furniture.

The Jansonites wished to become Americans as quickly as possible. They wanted to forget their homeland, which had persecuted them. Instruction in English was begun in the dug-outs. For a time, the Steeple Building, the largest of the many impressive buildings was used as a school. The building remains today, in Greek revival style, complete with a clock-tower.

Erik Jansson had appointed twelve apostles to carry his doctrine over the world. Only Nils Hedin was successful. He visited the Perfectionists at Oneida, New York State, the Rappists in Pennsylvania as well as many other communal religious societies and succeeded in converting some thirty people, who moved from Hopedale colony in Massachusetts to live for a time at Bishop Hill. A large number of Shakers from Pleasant Hill in Kentucky also stayed for a short time at Bishop Hill. The Swedes may have wished to benefit from their skill in furniture making and other crafts, or by their knowledge of fruit growing and cattle farming. In several ways development at Bishop Hill was influenced by ideas taken from these and other communities.

From the very beginning, travellers were well looked after at Bishop Hill. They were first lodged in a dug-out, then in the house where Erik Jansson lived, and later in the Big Brick. When the Steeple Building was turned into a school, a large new hotel was built, which became famous for its excellent food, its pleasant rooms and its ballroom.

Ten years after the foundation of the colony, practically all the buildings which now make the spot a cultural and historical monument had been built. A visitor wrote the following description of Bishop Hill: "We had occasion this year to visit the colony and were received with great kindness and hospitality. Everything, seemingly, was on the top of prosperity. The people lived in large, substantial brick houses. We had never before seen so large a farm, nor one so well cultivated ..."

Agriculture was the source of the well-being of Bishop Hill. During the first year, 200 acres of land were bought, and by 1850 the colony had grown to 8 000 acres. Several outlying farms belonged to the colony. The prairie was fertile, but full of grass roots, which made it difficult to cultivate in the beginning. Soon large plows were obtained, drawn by as many as eight yoke of oxen.

It was only natural for the Swedes to grow flax. Much linen cloth was produced, more than 28 000 yards in 1851 alone. The finished goods were sold to buyers in the towns, and by pedlars belonging to the settlement. Of still greater significance for the rapid development of the economy was the cultivation of Indian corn and, above all, broom-corn, from which brooms were made.

There was a large stock of cattle, comprising 586 head in 1855. In the tannery, 5 000 skins were tanned during thirteen years. Butter and cheese for home consumption and sale were made as well. The dairy, which is still standing, also contained dwellings for the dairymaids. As in our days, pig-breeding was important, and the colony had about a thousand animals. A hundred or so horses and mules stood in the stables. There were also many oxen.

Bishop Hill became well known for its industrial activities. In 1850 there were forty-three "specialists" in the colony: fourteen carpenters, six smiths, six shoemakers, four wheel-wrights, three tailors, a goldsmith, a carriage builder, a miller, a harness-maker and others. There was a good market for carriages and plows in St. Louis. The carriage works and the smithy were close to the Steeple Building and both have been preserved. Most of the other workshops, including the great steam mill, have been demolished. Only the dairy and the meat house remain.

The favorable development of the colony was interrupted by an outbreak of cholera, which reduced the population of Bishop Hill by almost 150 leaving just over 400 inhabitants. It was difficult to escape the disease. After a time, Erik Jansson himself left Bishop Hill with his family for their fishing station on the Mississippi, but the disease reached them there. His wife and two of their children also died.

Erik Jansson was the spiritual master of the colony. As preacher he was assisted by Anders Berglund, Nils Hedin and Jonas Olsson. Jansson ruled his colony somewhat despotically. By his power over the souls of the members he induced them to tolerate hardships and obey his commands, even when he announced fasts. Those who were not strong in their faith left the colony.

Community of ownership was complete, and private ownership abolished. It is doubtful whether the prophet had planned originally to create a communal society. His son, Eric Johnson, claimed that his father had intended to share all the property as soon as the social and economic situation had stabilized. Communication between the colony and other utopian societies may however have convinced Erik Jansson of the advantages of such a system. The possibility that desire for personal power outweighed the thought of sharing out the property cannot be precluded either.

The strictness of Erik Jansson's rule was the cause of his death. On 13 May 1850 he was shot in the court at Cambridge by John Root, who had arrived at Bishop Hill two years earlier, and married a cousin of Erik Jansson's. The marriage contract stated that if Root left the colony, his wife would have the right to remain there. After two years Root left and, in opposition to the terms of the marriage contract, took his wife with him. Jansson acted at once, sending men after the fugitives. They returned to the colony with the woman.

To this Root reacted by collecting a body of men who rode to Bishop Hill to liberate his wife, but the intruders were driven away by the armed intervention of friendly neighbours. In the meantime Jansson had gone to St. Louis, where he hoped to improve his business, which had deteriorated over the previous two years. Some time later Jansson returned to Bishop Hill and to the court at Cambridge, where Root was waiting for him.

Erik Jansson's death was a great shock to his disciples, who expected their leader to return by divine intercession. For a time the colony was ruled by Anders Berglund as proxy for the twelve-year-old son, Eric, who, according to Erik Jansson's plans, was later to become the leader of the colony. But Jonas Olsson had other ideas. Just be-

fore the prophet's death, Olsson had left for California, together with eight companions, to prospect for gold. When Olsson learned of the murder, he hurried back to Bishop Hill. He soon took over the leadership, together with a popularly elected board, which also chose the supervisors for the various activities.

Good economic conditions and hard work enabled the colony not only to pay its debts, but also to make great investments in agriculture, industry and buildings. In the course of a few years all the large buildings at Bishop Hill were erected, many of which stand today.

On the initiative of the leaders, the colony was registered as an economic corporation, led by an elected board of 7 trustees and governed by rules agreed upon by the members. The by-laws gave the trustees great power and control over all the property. Without consulting the members, the trustees could sign contracts, buy, hold and transfer real property. They had the right to decide who was to be allowed to join the community, and even expel those guilty of disturbing the general peace and unity.

The business of the colony grew apace. Soon it was not enough to invest in Bishop Hill's own enterprises. Without consulting or informing the members, Olof Johnson, one of the trustees, invested great sums in various projects. The center of the business activities was the town of Galva, a few miles from Bishop Hill, founded in 1853 and named after Gävle in Sweden. Bishop Hill owned many building sites and structures in the town.

The boom during the Crimean War strengthened the economy. The colony grew in wealth and, at a meeting in January 1857, it was resolved to "send money to help those in need in Sweden, who, by religious persecution and the rigours of the law have been ruined in their goods and conscience". Just two years later, however, it was decided to dissolve the common ownership of the property, due to another shift in the economy. A great slump followed in the wake of the Crimean War, with catastrophic consequences for Bishop Hill. When the trustees contracted huge debts, the situation deteriorated further, and gradually became known among the colonists.

The colonists met to discuss some of the actions by which the trustees had exceeded their authority, and by which they had made the colony "distrusted and misunderstood". The trustees ignored this, as they ignored a new by-law cancelling the rules of 1853. The new regulations considerably restricted the powers of the trustees.

After being summoned several times Jonas

Olsson appeared at a meeting. He explained that "the financial situation of the colony was such that the creditors were on the point of taking legal action to gain their rights". He declined to accept any responsibility for this state of affairs and blamed Olof Johnson.

By February 14, 1860, a decision had been made to divide all the property of the colony into two main parts, within which shares were allotted to the members of the two groups. It was not easy to divide the land (in 1860 ca. 12 000 acres) fairly, and still more difficult to divide the property consisting of workshops, large machines, and so on.

At the division of the property, the trustees admitted that the debts of the colony amounted to $ 118.000, but since the assets in 1860 were assessed at $ 600.000, the situation was not precarious. When it was found that the debts were far greater, it became necessary to deduct more funds from each share.

In 1868 the trustees were sued by a former member of the colony. A prolonged and embittered lawsuit began. It ended in 1879 without anyone being made responsible. It is said that the total debts of the colony increased by more than half a million dollars to almost $ 673. 000. In light of this, it is not surprising that the lawsuit and its consequences long had a benumbing effect on Bishop Hill and created bitterness among the people.

Production in the smithy, the carriage works and the other workshops ceased, including the mills. The bakery and the brewery were closed, and most of the looms stood idle. The common cultivation of the land ceased, and even the animal husbandry declined. The great building operations were discontinued and many colonists moved from Bishop Hill. Others built houses of their own there or settled as farmers in the neighbourhood. Most, however, particularly old and single people, remained in the large collective dwellings, where the owners had the right to a certain area of floor space.

When Charles Nordhoff, in the 1870's, surveyed the Swedish dream in Illinois, the decline was a fact: "The houses are still mostly inhabited; there are several shops, but the large buildings are out of repair and business has centered at Galva. On the whole it is a melancholy story."

By great effort and many hardships, Erik Jansson's vision had been realized, but his creation was short-lived and the dissolution of the community distressing. When he was gone, and faith no longer united the colonists, the desire for personal freedom became stronger. When the economic catastrophe became inevitable, and the faith in the trustees was undermined, the community was doomed. Superficially, the colony was a failure. Nevertheless, during the hardly fifteen years Bishop Hill existed as a colony, great feats were accomplished both by the colonists and by the intelligent and energetic people who organized the emigration to realize the New Jerusalem. The Swedes were skillful farmers and famous for their cattle. They were efficient businessmen and artisans, who sold plows, carriages and other goods far and wide in the country. They established mills and sawmills, started brick-making on an industrial scale. They quarried limestone and mined coal. In a ceaseless struggle against hunger and disease, they realized their utopian vision and created the City of God which Erik Jansson had dreamed of for his persecuted followers.

Their success was due to their boldness and initiative; the same for their decline. The financial crisis of 1857 was beyond their control. If it had not occurred, the trustees would probably have been praised for their farsighted economic policy and Olof Johnson would have been hailed as a brilliant organizer.

Viewed in a wider context, Erik Jansson and his followers certainly did not fail. Their work became permanent. "It would be a great comfort," wrote Jonas Olsson, "if we in our old age could be spared witnessing the destruction that has recently threatened us, and if our descendants, after we have gone to our fathers, have nobler things to view when looking back on bygone days than a ruined place intended as a dwelling for the people of God."

Bishop Hill is a living historical and cultural monument which must never be allowed to fall into the ruin that Jonas Olsson wrote of with such dread.

Many buildings from the colonial time have been restored during recent years, among other things, thanks to contributions from Sweden, but much remains to be done to preserve the many buildings from historic Bishop Hill.

Nowadays, many visitors come to Bishop Hill to experience the unique environment of the village, shop in the stores, visit some of the five museums that exist in Bishop Hill. The largest attraction is the Art Museum, with the paintings by Olof Krans. He counts as one of the most interesting naive artists in the United States.

Olof Krans, son of Eric and Beata Olsson, was born at Sälja, in the parish of Nora, Uppland, on November 2, 1838. He was twelve years of age when the Olsson family left Uppland in 1850 to settle at Bishop Hill.

At first Olof was an ox-boy. He then worked as a painter and belonged for a time to the "blacksmith division". Like many others in the colony, he took part in the Civil War, and changed his name to Krans, after his grandfather, another soldier in the family in Sweden. Olof Krans had, for a time, various jobs in the neighbourhood of Bishop Hill. At Galesburg, where he worked as a painter and decorator, he came into contact with art for the first time, when he met a portrait painter active there.

Krans spent most of his life at Galva, where he painted walls, decorated dwellings, painted advertisements and theatre scenery, merry-go-rounds, portraits of houses, dogs and people. He was a real american "House, Sign and Fancy Painter". As he grew older, he began to make portraits of the Old Settlers of the colony and their pioneer work. In a serie of paintings, which are not only unique documents of life and environment at Bishop Hill, but also genuine art, he depicted work on the land. As a child he saw the prairie opened up, and is, perhaps, one of the ox-boys in the picture; he watched the women planting corn, moving forward like a firing line, and painted the harvesters, dressed in the uniform of the community.

He painted the first, primitive dwellings in Bishop Hill and also the impressive town which soon grew up, all in pictures so rich in detail that they could be used to reconstruct the buildings.

He remembered his life in the Union Army in a self-portrait as well as depicted himself as a 70-year old painter. He painted some delightful portraits of his old pioneer mother in her rocking chair. But he was most interested in painting the old settlers who lived and worked at Bishop Hill. His portraits are as detailed as photographs, and were painted from photographs, but he nevertheless gave them individuality and personality. Se-

venty grave men dressed in black and white, and a few women, with faces reflecting their experience, were hung in the colony church in 1912, when Olof Krans donated the work of his life to The Old Settlers' Society.

In 1988 the paintings were moved to a newly built museum. In Sweden a representative selection of Olof Krans's paintings were exhibited for the first time in 1969 at an exhibition about Bishop Hill, at the Museum of National Antiquities in Stockholm.

In the exhibition was, among other things, a portrait of Peter Wickblom, who was born in Hälsingland in 1810 as well as a couple of unique recordings on phonograph made by a resident of Bishop Hill, Jonas Berggren, in the early 20th century. At Berggren's home, and in the park at Bishop Hill, Berggren made several music recordings and in 1904 he made three interviews with Wickblom. In one of these interviews he speaks about his trip across the Atlantic in 1846. Wickblom's voice is the third oldest in the world. Older are only two Englishmen's, Lord Tennyson, the poet and William Gladstone, the statesman.

The paintings of Olof Krans and the recordings of Jonas Berggren have a large cultural and historical value. Interesting are also the many objects from the pioneer time that have been preserved at Bishop Hill, as well as the letters and other documents, together with photographs that tell about life there.

The 150th anniversary of the founding of Bishop Hill, celebrated in 1996, provides a special opportunity for both Swedes and Americans to remember the fascinating history of Bishop Hill and the grand deeds accomplished by the settlers. The best birthday gift that Swedish America and Bishop Hill could receive for the Jubilee year 1996 is a fund developed for the preservation of the rest of the Swedish cultural heritage that remains at Bishop Hill and at many other places in the United States.

Noter

En plats i mitt hjärta

1 Widén 1961 s 28.

2 Brev 16/3 1914, Stonebergs samling Knox College (SKC). En liknande samling finns i Augustana College (SAC). Kopior av dessa samt annat material som berör Bishop Hill finns i Bishop Hill Heritages arkiv (BHA). Eire kanal öppnades för trafik 1825.

3 Hedblom s 24.

4 Thomas Alva Edison fick 1886 patent på sin fonograf och gjorde ett år senare sin första kommersiella inspelning. En av de första i Bishop Hill som köpte en fonograf var Jonas Berggren som var något av ett tekniskt geni. Han var född i Mo i Hälsingland 1865 och kom tio år gammal till Bishop Hill. Kring sekelskiftet tillverkade han en kopia av fonografen och började göra inspelningar. Till slut tröttnade Berggren på alla som kom och ville lyssna på dessa och ställde undan apparaten, Isaksson 1995.

5 Inspelningen är delvis svårtolkad, återgivningen här bygger på en utskrift av Lars-Åke Wångstedt. På de andra två inspelningarna skildrar Wickblom ett bönemöte i en hälsingegård samt ett besök hos församlingsprästen före avresan.

6 Inspelningen med Gladstone utgörs av en politisk deklaration, och på den vaxrulle där skaldens röst hörs kan man lyssna till hans dikt "Nyårsklockorna".

7 Berggrens inspelningar och förvärvet av dem har skildrats i två program i P 1 av Ulf Lundin, Radio Uppland 1993 och 1994.

8 Kopiorna från Bishop Hill samt avhandlingar från Stonebergs samlingar i Knox College och Augustana College finns nu i Lokalhistoriskt arkiv, Bollnäs. Genom Svenska Emigrantinstitutet i Växjö och dess representant i USA Lennart Setterdahl har de handlingar i arkiv i Illinois som rör Bishop Hill mikrofilmats.

Profeten från Biskopskulla

1 Berättat av Hylars Lisa Persdotter i Storsveden (f 1823) för sonsonen Pelle Asp, Ljusnan 8/12 1933.

2 Felaktigt anges ofta den 19 december som Janssons födelsedag, t o m på gravstenen i Bishop Hill där den engelska texten lyder: "Eric Janson Founder of the town of Bishop Hill born in Biskops Kulla Sweden Dec. 19, 1808 Murdered May 13, 1850." Den rätta dagen, 21 december, anges av Theo J Anderson i *100 Years: A History of Bishop Hill*, s 251. I denna har han samlat och tryckt om äldre skrifter av Bishop Hill av M A Mikkelsen, 1891 och Philip Stoneberg, 1901.

3 En avskrift av Erik Janssons "Lefnadsbeskrifning till 1844" finns bland de manuskript som Emil Hernelius insamlade i bl a Bishop Hill (nu i Universitetsbiblioteket i Uppsala). I BHA finns en kopia av delar ur levnadsbeskrivningen.

4 Hernelius 1900 s 7 f.

5 Sundin s 8.

6 En översikt av utvandringen från Nora återfinns i *Vår Hembygd* där Lilly Setterdahl också publicerat ett antal amerikabrev, bl a av Olof Krans far Erik Olsson. Från Torstuna emigrerade 35 personer 1846 och från Österunda knappt 50.

7 Sundin s 9.

8 Lundqvist s 15.

9 *Erik-Jansonisternas historia* s 13,17.

10 Manuskript i SKC.

11 Gladh s 79, 94,172.

Läsarbygd

1 Rönnegård s 29 f.

2 Ett stort antal brev från Bishop Hill har publicerats främst av Albin Widén och Lilly Setterdahl. Johan Olsson i Alfta insamlade många amerikabrev. Hans samling (JOS) förvaras i Alfta kyrkoarkiv. Ett urval brev, minnesskildringar och dokument ingår i en av mig redigerad volym *Röster från prärien* som utges 1996.

3 Moberg s 27, 31.

4 Lundqvist s 10 ff.

5 Wångstedt s 11.

6 Söderberg, K s 142.

7 Waldenström s 385.

8 Hernelius u å s 2.

9 Blomberg hörde till de morabor som utvandrade 1846 till Bishop Hill. Vid mitten av 1850-talet anslöt han till sig till shakersekten och var en av föreståndarna vid kolonin Pleasant Hill i Kentucky. Han reste 1866 till Sverige för att värva medlemmar till kolonin och fick med sig några trogna. En av dessa återvände följande år till Dalarna och lyckades värva ett sextiotal personer från Älvdalen till Pleasant Hill, Hernelius 1933.

10 Andersson, S s 88.

11 En minnessten med texten 11/6 1844 finns sedan 100-årsdagen av bokbålet vid Viksjön.

12 Waldenström s 386.

13 Ur manuskriptet "Om tegelslagningen" av J Hallsén, SKC.

14 Andersson, S s 93.

15 *Erik-Jansonisternas historia* s 58 ff.

16 Olanders, Gustav, "Tovåsen..." Olanders är en av de aktiva hembygdsvårdare som i likhet med föregångaren Johan Ohlsson återgett viktiga uppgifter och fakta om erikjansismen och emigrationen från Alfta. I en serie

häften har Alfta Hembygdsförening byavis förtecknat de alftabor som utvandrade 1846–1900.

17 Enligt brev från Carl Gustaf Blombergsson, erikjansarnas boktryckare, daterat New York 4 november 1846 och återgivet i tidningen Helsi 3/4 1847.

Utvandringen

1 Olanders s 3.

2 Söderberg, K s 20 f. Siffrorna bygger främst på Nils William Olsson och är troligen något för låga eftersom alla invandrare inte finns upptagna i passageraravgiftslistorna.

3 Uppgiften bygger på "United States 1990 Census for Ancestry Groups". Enligt denna utgjorde svenskättlingarna då 1,9 procent av USAs befolkning. I Minnesota, som registrerade 636 203 personer med svenska rötter, utgjorde de 12,3 % av statens befolkning. För Illinois redovisas 374 965 svenskättade (3,3 % av invånarna). Den näst högst andelen svenskättlingar fanns i Nebraska, 6,3% (99 263 personer), medan andelen i en nyare invandrarstat som Californien uppgick till 2 %. I antal (587 772) var de dock fler än i någon annan stat, Minnesota undantagen.

4 Brevet är återgivet i Widén 1966 s 60.

5 En översättning till svenska utgavs av Robert Bairds 1836 på franska publicerade arbete om nykterhetsrörelsen i USA, och 1846 kom på svenska hans bok *View of Religion in America* (Norton 1972:3 s 153). Denna innehåller bl a en lovsång till Missisippidalen, adresserad till europeiska utvandrare. I *A Traveller´s and Immigrant´s Guide to the Mississippi Valley*, 1832 (Norton 1972:3 s 162) skriver Baird om Illinois bl a: "This state is one of great fertility of soil, and capable of sustaining a vast population ... The climate of Illinois is delightful, and unquestionably healthy ... The eastern emigrant will find warm-hearted friends in every neighbourhood in this state."

6 Johnson & Peterson s 233.

7 I oktober 1845, en månad efter Olof Olsson och hans familj, avreste en grupp på sju jansoniter, bland dem Anna Lena Hedström, halvsyster till Carl Magnus Flack, och Sophia Schön på *Ceres* från Gävle. Men skeppet gick på grund och de tvingades uppskjuta sin resa till följande år (Wikén s 221). Brevet finns i BHA.

8 "Bland dem fanns ingen som led nöd; ty alla som ägde något jordstycke eller något hus sålde detta och buro fram betalningen för det sålda och lade det för furstarnas fötter, och man delade ut därav, så att var och en fick vad som han behövde" (Apostlagärningarna 4:32).

9 Setterdahl 1988 s 13.

10 18/6 1846, SKC.

11 Enligt brev från Eliot Burman, Bureborg, Enånger.

12 Fiskebåtens kapten fick Vasaorden för sin insats och dess besättningsmän belönades med en penningsumma av den svenska regeringen som tillerkände hamnkaptenen och läkaren i St Pierre medaljen Illis quorum (Wikén s 227). Brevet är daterat Östersjön 9 november 1846, JOS.

13 Daterat 3/4 1848, återgivet i Widén 1966 s 14.

14 Utdrag ur brev från 1847, tryckt i Söderhamn 1847, JOS.

15 Daterat 24/2 1851, SKC.

16 Brev 4/11 1846, återgivet i Helsi 3/4 1847.

17 Wikén s 221.

18 Dagboken har utgivits av mig under titeln *Detta förlovade land*, 1981.

Erikjansarnas stad

1 Aftonbladet 8/9 1853.

2 Egen intervju 1969 med den då 84-årige, i Bishop Hill födde Emil Eriksson. Mina inspelningar av samtal med honom omfattar ca 5 timmar och förvaras i Folkmåls- och folkminnesarkivet i Uppsala (ULMA). Emils far Lars Erik Eriksson emigrerade från Nora, Uppland 1880, några år senare hans mor vars farbror tillhörde pionjärerna. Också efter kolonins upplösning flyttade svenskar till Bishop Hill, därifrån ofta vidare västerut.

3 Setterdahl & Wilson s 182.

4 Intervju med O Frenell, SAC.

5 Nelson 1989 s 38.

6 Manuskript, SKC.

7 Widén 1961, s 28.

8 Artikeln är återgiven av Lars Krumlinde i *Carl Jonas Love Almqvist i Amerika* (1987) där den felaktigt anges vara skriven av Almqvist som uppehöll sig i USA 1851–1865. Almqvist besökte troligen aldrig Bishop Hill.

9 Rönnegård s 90.

10 Tryckt som pamflett och delvis publicerad i Widén 1966 s 27 f.

11 Brevet är återgivet i Helsi 28/7 1848.

12 Avskrift Ohlson, Delsbo 1973.

13 Brevet är daterat 31/1 1848, JOS.

14 Brev till "broder Nordberg" 21/8 1851, SKC. Tidigare hade emellertid Unonius fått 1 000 dollar av sångerskan som bidrag till den kyrka och prästgård han lät bygga i Chicago, Rönnegård s 127.

15 Augustana College blev svensk-amerikanarnas viktigaste högre utbildningsanstalt. Stor betydelse fick inte minst dess omfattande bokutgivning på svenska. I dag fungerar det som de flesta amerikanska college men har fortfarande undervisning i svenskt språk och svensk kultur samt äger ett värdefullt bibliotek och arkiv, Swenson Swedish Immigration Research Center.

16 I JOS.

17 Brevet är skrivet till kronobefallningsman Johan Ekblom i Torstuna. Han följde intresserad erikjansarnas öden och fick ta emot ett stort antal brev från Larsson och personer i Bishop Hill. De finns nu i Landsarkivet i Uppsala och har delvis publicerats i Widén 1961.

18 Den publicerades ursprungligen i *Chicago Commercial Advertiser* (Journal of the Illinois State Historical Society, Vol XLVII, no 4, 1954).

19 Intervju med A Barlow, SAC.

20 Widén 1966 s 24. Pamflett 1849.

21 Falun grundades av major Eric Forsse (eller Erik Olsson Fors som han hette i Sverige). Han emigrerade från Malung 1850 och blev 1851 medlem av Bishop Hill Colony. Efter sin officerstjänstgöring under inbördeskriget köpte han mark nära Galva. 1869 ledde han en grupp på ett fyrtiotal personer från Galva och Bishop Hill som bosatte sig inte långt från Lindsborg, Kansas.

22 Kate Nelson uppger för Stoneberg att hon bodde i ett rum tillsammans med ytterligare 11 personer. Ännu på 1940-talet var ett av rummen i kyrkan bebott.

23 Anders Wiberg, Aftonbladet 8/9 1853.

24 Aftonbladet 8/9 1853.

25 Uppgifterna om mathållningen bygger främst på intervjuer i SCA.

26 Brev 31/5 1851, Setterdahl 1981 s 41 ff.

27 Brev 8/5 1856, Barton 1979.

28 Intervju med systrarna Alfva Borg och Alfhild Oberg, Hedblom 1982 s 26.

29 Svenskarna bodde i en särskild byggnad, North Lot Dwelling, en bit från kolonins centrum.

30 Artikeln är återgiven av Wiberg i Aftonbladet 8/8 1853.

Arbete och liv

1 Återgivet i Widén 1961 s19 ff.

2 Swank 1991 s 25. George Swank har i denna skrift, i sin bok om Olof Krans och i ett stort antal artiklar under flera decennier i sin tidning Galvaland skildrat Bishop Hill i nutid och gången tid. Han har gjort en ovärderlig insats genom att samla in traditioner och gamla fotografier; han är en av stiftarna av Bishop Hill Heritage.

3 Manuskript av John Hallsén, SKC. Hallsén, som kom till Bishop Hill 1847 och avled 1913 vid 93 års ålder, skrev ett stort antal manuskript om livet i kolonin. Många av dessa ingår i Stonebergs samlingar. Han blev senare adventist och tryckte flera religiösa skrifter i Bishop Hill.

4 Norlin s 29. Widén 1966 s 22.

5 Brev publicerat i tidningen Helsi 28/7 1848.

6 Widén 1961 s 29. Brev 19/2 1848, JOS.

7 Johnson & Peterson s 27. Widén 1961 s 44.

8 Skildringen återgavs i Scandinavia, utgiven i Chicago 1885, och ingår också i History of the Scandinavians in the United States, 1899.

9 Brev från G Chilström 18/3 1908, SKC.

10 Widén 1966 s 22.

11 Egen intervju 1969.

12 Historic Bishop Hill s 55.

13 Signaturen Settler i Henry County Chronicle 15/2 1860; Johnson & Peterson s 36; Swank 1991 s 35.

14 Hallsén, SKC.

15 Johnson & Peterson s 36.

16 Wagner s 65.

17 Brev i BHA.

18 Brevet är skrivet av "förre bonden Erik Ersson i Witterarf" (avskrivet av Olof Olsson, Oppsjö, Delsbo 1973).

19 Swank 1991 s 48.

20 Erdahl s 548.

21 Anderson T s 116.

22 Västen finns nu i staten Illinois museisamlingar i Bishop Hill. Brevet är skrivet i april 1849, JOS.

23 Manuskript i BHA

Bishop Hill Colony

1 Brevet är daterat 24/2 1851, JOS.

2 Mikkelsen publicerade 1891 en skrift om Bishop Hill som bl a bygger på intervjuer med då ännu levande kolonister; den ingår i T Andersons 1947 utgivna bok.

3 Brev daterat Galesburg 30/10 1849, publicerat som pamflett i Sverige.

4 Brev publicerat i Widén 1966 s 22 f.

5 Revue Icarienne 2/2 1859.

6 Barton 1979 s 95.

7 1871 fick Bishop Hill järnvägsförbindelse då en linje drogs mellan Peoria och Rock Island. Passagerartrafiken upphörde på 1930-talet.

8 Brev 16/3 1914, SKC.

9 Nordhoff s 349.

Kulturarvet

1 Svenska utställningar visas ibland i Bishop Hill som allt mer uppmärksammats av svenska massmedia, särskilt av Radio Uppland. 1984 sändes ett flera timmar långt program med direktkontakt mellan Bishop Hill och Biskopskulla, där Bishop Hill Samfundet stiftades 1989. I samband med att man i Alfta och Ovanåker 1994 firade 150-årsminnet av bokbränningen i Tranberg ("The Igniting Spark") gjorde Radio Gävleborg program om utvandringen. Flera TV-program har också skildrat samhället. 1989 satte Peter Oskarson och Folkteatern i Gävle upp "Drömmarnas barn" med manus av Margareta Ekarv.

2 Utställningen "Bishop Hill – svensk koloni på prärien" öppnades på Historiska museet 1969 av Gustaf VI Adolf som då bl a mötte Edla Warner, en ättling till Erik Jansson. Prins Bertil besökte Bishop Hill 1948, Carl XVI Gustaf 1976 och prinsessan Christina 1988 i samband med Nya Sverigejubileet då Kransmuseet invigdes och en utställning med uppländska konstnärer visades i Tornbyggningen. Bidrag till restaureringar har bl a lämnats av Marcus och Amalia Wallenbergs Minnesfond samt av en rad svenska företag och enskilda personer genom den 1983 bildade "Kommittén Rädda Bishop Hill", vars ordförande ambassadör Gunnar Jarring är och jag dess sekreterare.

Målaren från Bishop Hill

1 Swank 1976 s 21.

2 Anderson, T s 146.

3 Setterdahl 1978 s 176.

4 Swank 1976 s 97.

5 Little s 3.

6 Desnoy s 153 f.

7 Lipman, Warren & Bishop s 189. Termen "primitive" diskuteras utförligt av de amerikanska experterna/ samlarna Jean Lipman och Alice Winchester i boken *Primitive Painters in America 1750–1950.* De anser att termen inte är helt adekvat utan för tanken till förhistorisk konst men måste användas i brist på bättre. Robert Bishop menar dock att rubriceringen American Folk Art inte på något sätt förtar den konstnärliga halten i verk av t ex Grandma Moses eller Mattie Lou O´Kelly. De har i sina folkliga genrebilder fångat det snabbt föränderliga lantliga landskapet och hyllat dess storhet. Som tidsdokument skiljer sig deras målningar föga från Olof Krans aktionsfyllda scener från 1800-talets bondekollektiv i Bishop Hill, Illinois.

8 Vid en renovering av kolonikyrkan hittade man tre lösa etiketter med Olof Krans handstil där det stod Breaking Prairie (Prärien bryts), Corn Planting (Majsen sätts) och Harvesting (Skörden). De två resterande målningarna i Bishop Hill-sviten brukar kallas Sowing (Sådden) och Women Driving Piles (Kvinnor som pålar), Swank 1976 s 22.

9 Många av dessa hus kan inte ha varit i bruk när den 12-årige Olof Krans 1850 kom till Bishop Hill. Den vinkelformade timringen – tältkyrkan – och husen där omkring brann 1848. Några "dugouts" användes som potatiskällare eller linförråd, sedan bostadsförhållandena förbättrats i kolonin.

10 Dawson s 90.

11 Dawson s 101 påstår felaktigt att pålning med hejare inte förekom i Sverige, "eftersom flodbäddarna på de flesta ställen består av sten", och att pionjärerna lärde sig denna metod i USA.

12 Daguerreotypin introducerades i USA (från Frankrike 1839) av målaren Samuel F B Morse, mer känd i dag som uppfinnaren av telegrafen. Daguerreotypier var billigare och snabbare att producera än målade porträtt, och avbildningarna blev mer realistiska. På 1850-talet kunde foton fixeras på glasplåtar varifrån man kunde göra ett oändligt antal kopior (upp till 63x120cm), Madden 1974 s 256, Lipman, Warren & Bishop s 26.

13 Brev från Anders Berglund, 1860-talet.

14 Tidningsmannen George Swank, Galva, Olof Krans och Bishop Hills outtröttlige forskare och krönikör anser att Olof Krans därutöver måste ha målat ett stort antal porträtt som inte uppskattades av mottagaren utan förstördes.

15 Times 21/9 1936.

16 Födelsedagsporträttet inköptes 1950 av Chicago Historical Society från Olof Krans systerdotterdotter Lora Nyberg (Mrs Fred Swanson), Galva, tillsammans med porträttet av Beata Krans i gungstolen och en målning av hemgården i Sälja, Uppland.

17 En enklare kopia av detta porträtt, utan palett, målade Krans som gåva till sin favorit, Lora Nyberg. Det är signerat med hennes smeknamn "Tabbo". Det såldes 1961 till Chicago Historical Society.

18 Den finns nu hos folkkonstsamlaren Merle Glick som köpt den från The Kennedy Galleries, New York. Andra varianter ägs av Mr Everett, Galva, Kransmuseet i Bishop Hill och Chicago Historical Society.

19 Johnson & Peterson s 318.

20 En dikt under bilden lyder: "In CHILDHOODS hour with careless joy/upon the stream we glide./With YOUTHs bright hope we gaily speed/To reach the other side./MANHOOD looks forth with careful glances./TIME steady plies the oar./ While OLD AGE waits to hear/The keel upon the shore", Swank s 131.

21 *Vikingernes sejlads til Nordamerika,* s 95. Skeppet hette Viking och var en kopia av Osebergsskeppet som hade hittats i en gravhög utanför Oslo 1904.

22 Swank 1976 s 114. Under många år hängde målningen av den stora Galva-branden hos en skräddare intill det hus där branden startade. Sedan skänktes den till brandkåren och hängde i dess rum i stadshuset tillsammans med några andra Krans-målningar. De är nu deponerade i stadsbibliotekets läsesal.

23 Swank 1976 s 48, 55.

24 Swank 1976 s 57.

25 I en notis i Galva News i januari 1923 kallas utställningen "World´s Fair": "En låda innehållande 23 stora bilder av de viktigaste byggnaderna och miljöerna i och omkring Bishop Hill jämte några kopior som återger Krans målningar har skickats till Sverige härifrån", Swank 1976 s 15, 37.

26 Lipman, Warren & Bishop s 189.

27 Swank 1976 s 60.

Källor, litteratur, bildförteckning

I både USA och Sverige finns ett rikt arkivariskt material som använts i avsnitten om Bishop Hill och Olof Krans. *Universitetsbiblioteket* i Uppsala innehar Emil Hernelius manuskriptsamling som bl a omfattar Erik Janssons "Lefnadsbeskrifning till 1844". I den Lindvallska samlingen i *Landsarkivet* i Uppsala ingår de brev som kronobefallningsman J E Ekblom i Torstuna fick från emigrerande erikjansare, främst Anders Larsson i Chicago. De flesta har publicerats av Albin Widén.

Arkivet för ljud och bild i Stockholm (ALB) vårdar nu de unika inspelningar Jonas Berggren gjorde i Bishop Hill i början av 1900-talet. I *Dialekt- och folkminnesarkivet* i Uppsala (ULMA) finns inspelningar gjorda av Folke Hedblom i Bishop Hill på 1960-talet samt mina inspelningar därifrån 1968 och 1969. I *Svenska Emigrantinstitutet* i Växjö förvaras mikrofilmer som institutet genom sin representant i USA Lennart Setterdahl gjort av dokumentsamlingar som berör Bishop Hill. Sådana finns framför allt i *Bishop Hill Heritage* (här förkortat BHA), samt i *Knox College,* Galesburg och *Augustana College,* Rock Island och består av material insamlat av Philip Stoneberg (SKC resp SAC). De fotostatkopior som jag lät göra av handlingar i dessa arkiv 1968 och 1969 finns nu i *Lokalhistoriskt arkiv,* Bollnäs. I *Alfta kyrkoarkiv* förvaras de brev och andra handlingar som insamlats av Johan Olsson, Alfta (JOS).

I noter hänvisas till de arkiv där originalhandlingarna finns. De citat ur brev och andra handlingar som återfinns i texten har i en del fall inte kontrollerats mot originalen. Det gör att vissa citat återges med ursprunglig ortografi, andra med moderniserad.

De flesta äldre fotografier som återges finns i Bishop Hill Heritages arkiv.

Bishop Hill och Olof Krans

Anderson, Theo. (red), 100 Years: A History of Bishop Hill, Illinois. Chicago 1947 (innehåller omtryck av *Stoneberg, Philip,* The Story of Bishop Hill, 1905 och *Mikkelsen,* M A, The Bishop Hill Colony, 1891)

Andersson, S, Något om Erik-Jansismen, särskilt dess verksamhet i Alfta. *Julhälsning till församlingarna i ärkestiftet.* 1923

Ankarberg, Karin, Några avsnitt ur Bishop-Hill kolonins historia. *Historiska studier tillägnade Folke Lindberg.* Stockholm 1963

Barton, Arnold, Brev från Löftets land. Svenskar berättar om Amerika 1840–1914. Stockholm 1979

– The Eric Janssonism and the Shifting Contours of Community. *Western Illinois Regional Studies* 1989:2

Bihalji-Merin, Oto, "Modern primitives: Masters of Naive Paintings". Prag 1959

Bishop Hill Illinois, Guidebook to Buildings. 1986

Bishop Hill-kolonins Femtioårshögtid. *Skinnarebygd* 1967–68. 1969

Bremer, Fredrika, Hemmen i Nya Verlden, del 2. Stockholm 1854

Cahill, Holger, American Folk Art 1750–1900, New York Museum of Modern Art. 1932.

Dasnoy, Albert, Exégése de la peinture naïve. Bryssel 1970

Dawson, Elise Schabler, The Folk Genre Paintings of Olof Krans as Historical Documents. *Western Illinois Regional Studies* 1989:2

Elmen, Paul, Wheat Flour Messiah. Eric Jansson of Bishop Hill. Southern Illinois University. Press. Carbondale 1976

Erdahl, Sivert, Eric Janson and the Bishop Hill Colony. *Journal* of *Illinois State Historical Society* 1925:3

Erik-Jansonisternas Historia, Galva, u å

Eriksson, Enar, Ur Järna sockens emigrationshistoria. *Dalarnas hembygdsbok* 1966. Falun 1968

Gladh, Henrik, Lars Vilhelm Henschen och religionsfrihetsfrågan. Uppsala 1953

Glick, Merle H, "The world of Olof Krans"

The Clarion. Americas Folk Art magazine, Fall 1982

Graphic Sampler. Library of Congress, Washington 1979

Hedblom, Folke, Svensk-Amerika berättar. Stockholm 1982

Hernelius, Emil, Erik-Jansismen i Dalarne. Falu-Kurirens Dala-Bibliotek, u å

– Erik-jansismens historia. 1900

– Ur Dalarnes kultur- och personhistoria. Anders Blomberg. 1938

– Ur Dalarnes kultur- och personhistoria. Religiösa rörelser i Malung under mediet av 1800-talet. 1934

Historic Bishop Hill 1846-1946. Bishop Hill Centennial Souvenir 1946

Isaksson, Olov, Rädda Bishop Hill. *Bryggan* 1984:1

– Rösterna från Bishop Hill. *Bygd och Natur* 1995:1

Isaksson, *Olov & Hallgren, Sören,* Bishop Hill – svensk koloni på prärien. Stockholm 1969

Jakobson, Margaret M, The Painted Record of a Community Experiment. *Journal of the Illinois State Historical Society,* Vol XXXIV, 1941

Johnson, E & Peterson, C F, Svenskarne i Illinois. Chicago 1880

Johnson, E Gustav, A Selected Bibliography of Bishop Hill Literature. *The Swedish Pioneer Historical Quarterly,* Vol XV 1964, Vol XVI, 1965

Liljeholm, Johan Edvard, Detta förlovade land. Resa i Amerika 1846–1850. Stockholm 1981

Lipman, Jean, American Primitive Paintings. New York 1942

Lipman, Jean & Winchester, Alice, Primitive Painters in America 1750–1950. New York 1950

Lipman, Jean, Warren, Elisabeth & Bishop, Robert, Young America. Folk-Art History. New York 1986

Little, Nina Fletcher, An Introduction to American Folk Art. *The Abby Aldrich Rockefeller Folk Art Collection.* A descriptive catalogue. 1957

Lundqvist, P N, Erik-Jansismen i Helsingland. 1845

Madden, Betty I, Art, Crafts, and Architecture in Early Illinois. Springfield 1974

Marzio, Peter C, The Democratic Art: Chromolit. 1840–1900. Boston 1979

Moberg, Vilhelm, Den okända släkten. Stockholm 1950

Nelson, Ronald E, Bishop Hill: Swedish development of the Western Illinois frontier. *Western Illinois Regional Studies* 1978:2

– The Bishop Hill Colony: What they found. The building of Bishop Hill. *Western Illinois Regional Studies* 1989:2

Norlin, Minnie, Karin. Minden Nebraska, 1936

Norton, John E , And Utopia became Bishop Hill. *Historic Preservation* Vol 24, 1972

– Robert Baird, presbyterian missionary to Sweden of the 1840´s. *The Swedish Pioneer Historical Quarterly* 1972:3

O´Conner, Francis V, The New Deal Art Project. An Anthology of Memories. Washington DC 1972

Ohlsson, Johan, Om Erik Jansismen och kolonin Bishop Hill. *Hälsingerunor* 1964-64

Olanders, Gustav, Tovåsen, nybygget mellan Edsbyn och Färila, manuskript,1992

Olsson, Nils William, Swedish Passenger Arrivals in New York 1820—1850. 1967

Rönnegård, Sam, Utvandrarnas kyrka. Stockholm 1961

Setterdahl, Lilly, Emigrant Letters by Bishop Hill Colonists from Nora Parish. *Western Illinois Regional Studies* 1978:2

– En amerikakistas och andra dalaföremåls historia. *Dalarnas Jul* 1988

– Utvandare från Nora till Bishop Hill. Amerikabrev hem till Nora. *Vår hembygd.* Häfte nr 4–6, 1981–1983

Setterdahl, Lilly & Wilson, Hiram, Hotel accommodations in the Bishop Hill Colony. *The Swedish Pioneer Historical Quarterly,* 1978

Sparks, Esther, Olof Krans, Prairie Painter. *Historic Preservation* 4 oct–dec 1972

Sundin, Lars-Erik, Erikjansismens uppkomst och utveckling i Uppland fram till 1854. Uppsats i kyrkohistoria, Teologiska institutionen, Uppsala universitet. Stencil 1989

Swank, George, *Bishop Hill. Swedish – American Showcase,* Galva 1991

– Painter Krans of Bishop Hill Colony, Galva l976

Söderberg, Kjell, Den första massutvandringen. Stockholm 1981

Söderberg, Rolf, Amatörernas ungrenässans. *Konstrevy* 1961:1

202

Söderblom, Anna, En amerikabok, 1925
– Ett besök i Bishop Hill. *Julhälsning till församlingarna i ärkestiftet*, 1924
Wagner, Jon, Living in community. Daily life in the Bishop Hill Colony. *Western Illinois Regional Studies* 1989:2
Waldenström, P, Genom Norra Amerikas Förenta Stater, 1890
Western Illinois Regional Studies. Volume XII. Special issue: Bishop Hill, 1989:2
Widén, Albin, Amerikaemigrationen i dokument. Stockholm 1966
– När Svensk-Amerika grundades. Stockholm 1961
Wikén, Erik, New lights on the Erik Janssonists´emigration, 1845–1854. *The Swedish-American Historical Quarterly* 1984:3
Vikingernes sejlads til Nordamerika.. Vikingeskibshallen i Roskilde 1992
Wångstedt, Åke, Erik Janssons äventyr i Voxnadalen och övriga Hälsingland, stencil, 1994

Utopier i allmänhet

Ambjörnsson, Ronny, Tiden: ett äventyr. Om visionärer, uppror och idéer. Stockholm 1980
– Det okända landet. Tre studier om svenska utopister. Stockholm 1981
Barkun, Michael, Crucible of the Millenium. The Burned-over District of New York in the 1840´s. Syracuse 1986
Berry, Brian J L, America´s Utopian Experiments. Communal Havens from Long-Wave Crises. Hanover 1992
Bestor Jr, Arthur Eugene, Backwoods Utopias. Philadelphia 1950
Bremer, Fredrika, Hemmen i Nya Verlden, Stockholm 1853-54
Bruckner, Pascal, Fourier. Paris 1975
Cabet, Étienne, Upplysningar om Kommunismen. Stockholm 1846
– Voyage en Icarie. Paris 1840
Campanella, Tommaso, Solstaten. Stockholm 1974
Deming Andrews, Edward, The Gift to be Simple. Songs, Dances and Rituals of the American Shakers. New York 1940, 1967
– The People Called Shakers. New York 1953, 1963

Elmen, Paul, Wheat Flour Messiah. Eric Jansson of Bishop Hill. Carbondale 1976
Engels, Friedrich, Socialism, Utopian and Scientific. London 1892, 1950
Felt Taylor, Alice, Freedom´s Ferment. Phrases of American Social History from the Colonial Period to the Outbreak of the Civil War. New York 1944, 1962
Fogarty, Robert S, American Utopianism. Itasca 1972
– (red), Special Love/ Special Sex. An Oneida Community Diary. Syracuse 1994
Fourier, Charles, Design for Utopia. Selected Writings. New York 1901, 1971
Frängsmyr, Tore, Framsteg eller förfall. Framtidsbilder och utopier i västerländsk tanketradition. Stockholm 1980
Gjöres, Axel, Robert Owen och hans tid. Stockholm 1932, 1971
Gohl, Cecile, Från Nya världen. Göteborg 1895
Gunnarsson, Gunnar, De stora utopisterna. Stockholm 1962, 1973
Gustafsson, Lars, Utopier. Stockholm 1969
Harrison, J F C, Robert Owen and the Owenites in Britain and America. London 1969
Hawthorne, Nathaniel, The Blithedale Romance. Boston 1852
Hayden, Dolores, Seven American Utopias. The Architecture of Communtarian Socialism, 1790–1975. Cambridge, Mass 1976
Hinds, William Alfred, American Communities and Co-operative Colonies. Chicago 1908, Philadelphia 1975
– American Communities. New York 1878, 1961
Holloway, Mark, Heavens on Earth. Utopian Communities in America 1680–1880. New York 1951, 1966
Kagan, Paul, New World Utopias. A Photographic History of the Search for Community. New York 1975
Lassinantti, Ragnar, Synpunkter och skildringar. Luleå 1965
Lockwood Carden, Maren, Oneida: Utopian Community to Modern Corporation. Baltimore 1969
Manuel, Frank E & Manuel, Fritzie P (red), French Utopias. New York, London 1966
– Utopian Thought in the Western World. Oxford 1979

More, *Thomas*, Utopia. Stockholm 1930

Moss Kanter, *Rosabeth*, Commitment and Community. Communes and Utopias in Sociological Perspective. Cambridge, Mass 1972

Mumford, *Lewis*, The Story of Utopias. London 1923

Negley, *Glenn & Patrick, J Max* (red), The Quest for Utopia. New York 1952, 1962

Neville-Sington, *Pamela & Sington, David*, Paradise Dreamed. How Utopian Thinkers Have Changed the Modern World. London 1993

Nordhoff, *Charles*, The Communistic Societies of the United States. New York 1875, 1965

Noyes, *John Humphrey*, History of American Socialisms. Philadelphia 1870, New York 1966

På spaning efter utopin. *UnescoKuriren*, juni 1991

Sprigg, *June & Larkin, David*, Shaker. Life, Work and Art. New York 1987

Strindberg, *August*, Utopier i verkligheten. Stockholm 1885

Sutton, *Robert P*, Les Icariens. Urbana and Chicago 1994

Swift, *Lindsay*, Brook Farm. New York 1900, 1961

Webber, *Everett*, Escape to Utopia. The Communal Movement in America. New York 1959

Wilson, *Edmund*, To the Finland Station. A Study in the Writing and Acting of History. New York 1940, 1953

Bildförteckning Olof Krans

Alla Krans målningar är gjorda i olja på duk. De flesta tillhör staten Illinois museum över Olof Krans i Bishop Hill (här förkortat OKM). Bishop Hill Heritage äger ett par verk (BHH) och Lakeview Museum i Peoria, Illinois (LMP) sammanlagt åtta, de flesta dock av mindre intresse. I Chicago Historical Society (CHS) finns fyra målningar av hög kvalitet. Den största privatsamlingen tillhör Merle Glick, Pekin, Illinois (MG). Några värdefulla målningar ägs av Reynold Everett, Galva (RE) och ett par av museet i Galva (MG). I biblioteket i Galva (GB) är två arbeten utställda. I förteckningen anges, med hänvisning till sida, målningarnas namn, storlek i cm, ev signatur och tillkomstår (eller först kända utställningsår) samt ägare.